JEAN ALTER

LA VISION DU MONDE

D'ALAIN ROBBE-GRILLET

Structures et significations

LIBRAIRIE DROZ, GENÈVE

1966

LA VISION DU MONDE
D'ALAIN ROBBE-GRILLET

JEAN ALTER

LA VISION DU MONDE

D'ALAIN ROBBE-GRILLET

Structures et significations

GENÈVE
LIBRAIRIE DROZ
11, rue Massot
1966

1re édition : septembre 1966

Une technique romanesque renvoie
toujours à la métaphysique du
romancier.

(Sartre, *Situations I*)

AVANT-PROPOS

Pour que ce dialogue avec le romancier ne parte pas d'un malentendu, une brève mise au point s'impose.

Il ne s'agit pas ici de « récupérer » Alain Robbe-Grillet. La vision du monde que nous nous proposons de dégager de son œuvre romanesque, nous ne voulons point l'investir de significations extérieures, montrer qu'elle se rattache à quelque système philosophique, moral ou politique, la juger en fonction de sa fidélité à l'expérience vécue, l'interpréter au moyen de symboles.

A l'instar de l'auteur, nous postulons l'autonomie absolue de son univers. Le monde qu'il crée « à partir de rien » est un monde imaginaire, qui ne renvoie à d'autre réalité que la sienne; les hommes qui s'y affairent sont des personnages inventés qui n'ont d'autre vérité que celle dont le romancier les dote; les intentions qui s'y inscrivent ne prennent naissance que dans la création romanesque; et celle-ci, dans ses manifestations spatiales, temporelles ou causales, ne suit d'autres lois que celles que son créateur a bien voulu poser, l'espace d'un moment, pour un fragment de son œuvre. Bref, il n'y a rien en dehors du texte, et le texte est tout invention.

Il reste que ce monde imaginaire, fragmentaire, mouvant, qui s'édifie et se diversifie dans les romans de Robbe-Grillet, existe et qu'on en éprouve inévitablement les significations. Il importe peu qu'elles s'ancrent dans l'anecdote ou jaillissent de l'écriture, se coulent dans les structures romanesques ou se plaquent sur des images figées; c'est tout un pour le lecteur auquel ce monde s'impose par l'expérience directe de la lecture et qui en accepte ou en récuse le sens en une réaction indivise. Si l'œuvre de Robbe-Grillet a pu toucher, par-dessus un petit noyau de spécialistes du roman, un public divers, c'est que la vision et les valeurs qu'elle comporte correspondent, non dans un futur problématique mais déjà dans le présent, à l'expérience ou à l'intuition, à des idées sur la réalité ou à des sentiments obscurs d'un grand nombre de ses contemporains.

Dès lors, il appartient au critique de dégager les lignes générales de cet univers romanesque, pour essayer de rendre compte de l'attrait qu'il exerce et, peut-être, pour le faire mieux comprendre.

Il se peut que l'écrivain proteste: on lui fait dire des choses auxquelles il n'a jamais pensé; on lui attribue des préoccupations étrangères à ses idées sur le monde et sur la littérature; on lui impute des intentions incompatibles avec ses écrits théoriques. Certes, nous souhaitons que ces différences d'opinion soient réduites au minimum.

Mais, en dernière analyse, au-dessus des sentiments de l'écrivain, nous mettons l'enseignement de l'œuvre et, au sein de celle-ci, l'évidence des romans au-dessus des proclamations des essais. De la théorie, nous avons retenu l'indication que le monde romanesque ne reflète pas de réalité objective, l'avertissement qu'il ne faut pas y chercher des symboles, la suggestion que l'écriture et surtout la structure des ouvrages sont souvent plus significatives que l'anecdote. Au delà de ces bornes, nous revendiquons la liberté d'interprétation dont dispose tout lecteur et qui fait pendant à la liberté créatrice de l'auteur.

En somme, c'est une nouvelle lecture des romans d'Alain Robbe-Grillet que nous proposons ici — une lecture ni plus ni moins subjective, ni plus ni moins vraie, que celles que d'autres critiques avaient déjà offertes. Parmi ces derniers, il convient surtout de mentionner Roland Barthes, Bruce Morrissette, Olga Bernal et Lucien Goldmann, dont les recherches originales ont permis à cette étude de s'édifier sur un terrain bien déblayé. Comme nous n'aurons guère l'occasion de revenir sur leurs conclusions, sinon pour en contester certains aspects, nous tenons à reconnaître ici cette dette silencieuse. *

---

* Nous tenons à remercier la *Graduate School* de l'Université de Maryland, dont le fonds de recherches nous a permis de préparer cet ouvrage pendant deux étés; nous voulons aussi exprimer notre reconnaissance à M. Claude Evrard, qui a eu la patience de lire le manuscrit et l'amabilité de suggérer des corrections précieuses.

CHAPITRE I

LA RÉDUCTION A L'HOMME

Dieu est absent de l'œuvre de Robbe-Grillet. On le sait. On l'a écrit. Et si l'on s'est dispensé de le montrer, c'est que le romancier lui-même l'a laissé clairement entendre dans ses essais. Il faut pourtant aller au texte pour mesurer à quel point cette exclusion est systématique, récusant rigoureusement toute transcendance spirituelle et niant jusqu'à la possibilité d'une médiation souveraine entre l'homme et l'univers.

Lorsque l'agent spécial Wallas, protagoniste des *Gommes,* cherche à se rendre au bureau de police d'une ville où il a débarqué la veille et passe en revue les subterfuges qui lui permettraient de s'enquérir de la direction à prendre sans révéler sa destination exacte, il pense à la poste centrale, il songe à jouer le rôle d'un touriste, mais l'idée ne l'effleure pas qu'il pourrait demander le chemin de la cathédrale, voire de l'église principale — idée qu'il aurait pu ensuite écarter, comme les autres, pour diverses raisons pertinentes: que la ville n'avait peut-être pas de cathédrale, qu'il risquait d'encourir des questions embarrassantes, etc. En soi, cette solution pouvait donc fournir une illustration des difficultés linguistiques au même degré que les autres possibilités envisagées par Wallas: promenade sans but, Palais de Justice, etc., et, du point de vue de l'écriture, le seul qui, à l'en croire, motive Robbe-Grillet, elle était également valable. Or, Wallas n'y pense pas, ou plus exactement Robbe-Grillet n'a pas imaginé ou n'a pas voulu que son protagoniste puisse y penser. Effet du hasard? Peut-être. Mais faut-il mettre aussi au compte d'un simple hasard la correspondance entre cette absence d'église au sein de la représentation que Wallas se fait du centre de la ville et une absence pareille d'église le long des rues interminables qu'il parcourt durant ses pérégrinations? Car il ne s'agit pas ici de la chance, d'un caprice de l'itinéraire suivi aveuglément par le détective et qui lui aurait fait contourner tous les lieux de culte: la ville des *Gommes* n'existe pas à l'extérieur du roman; elle n'a d'autre réalité que celle que l'auteur lui donne; et, comme l'histoire de *Marienbad* qui se passe « exactement en une heure et demie », elle commence et s'arrête exactement aux endroits que le romancier a choisi de tirer du néant. Ce n'est donc pas un effet du hasard que Robbe-Grillet se serait contenté de rapporter, si Wallas et les autres personnages ne rencontrent aucune église sur leur chemin, mais bien le résultat de la décision de l'auteur de ne pas en élever dans la ville qu'il bâtit en toute

3

liberté. Il y a, tout au début, une allusion pressée, dissimulée à l'intérieur d'une énumération rapide, à l'existence « d'églises figées »: mais l'expérience directe des personnages, dont le regard anime les lieux, ne livre qu'une cité complètement laïque, peuplée d'habitants complètement retranchés de Dieu.

La ville portuaire des *Gommes* n'est que le premier des lieux bien circonscrits que Robbe-Grillet pose comme décors de ses romans et dont il assemble minutieusement les éléments. *Le Voyeur* étend l'espace citadin à une île, petite à vrai dire, mais suffisamment importante et civilisée pour justifier l'existence d'un cinéma, d'un garage, d'un café, d'un hôtel de ville, desservant ses 2000 habitants. Au centre, une placette décrite en détail assemble toutes ces institutions de la vie sociale et communautaire; c'est en vain qu'on y cherche une église, voire une chapelle. Ici encore, étant donné le refus du vérisme de l'auteur, il serait inutile de discuter les chances concrètes qu'un bourg de cette taille ne contienne pas de lieu de culte, ou que celui-ci, au lieu de faire face, comme « en réalité », à la mairie, se trouve déporté dans une ruelle où Mathias n'aurait pas pénétré, d'avancer le peu de probabilité que les insulaires se rendent, par bateau, à une ville voisine pour se livrer aux pratiques religieuses, ou d'alléguer qu'en effet on trouve de telles îles sans église au large de la Bretagne, de la Normandie ou de la côte scandinave; car l'île n'existe que dans l'imagination de Robbe-Grillet, et sa réalité se réduit aux éléments qu'il a inventés de toutes pièces, sans chercher à imiter un modèle. S'il n'a pas choisi de placer d'église sur la place centrale, c'est que son mouvement naturel le portait à concevoir un espace sans Dieu. On peut remarquer pourtant que l'inclination involontaire à reproduire les données du monde réel — une tendance que Robbe-Grillet reconnaît — imposerait plutôt un choix contraire. De ce fait, l'absence de référence au culte dans le *Voyeur* apparaît plus significative que dans les *Gommes* ou, en tout cas, plus consciente, plus préméditée; et son apport à la vision du monde de l'écrivain frappe davantage par le contraste avec l'image habituelle de la réalité. De même, l'indifférence aux questions religieuses manifestée par les habitants de l'île, l'absence des références au « péché » dans les condamnations du comportement moral de Jacqueline, composent derechef l'image d'une petite société complètement laïcisée. Ce qui ne manque pas d'étonner davantage dans le cas d'une petite île que dans celui d'une ville industrielle.

La même indifférence caractérise les personnages de la *Jalousie*, mais, sans les indications fournies par les autres romans, il n'y aurait pas lieu d'en faire état parce qu'elle s'intègre au principe d'économie adopté par Robbe-Grillet dans cet ouvrage. Il est visible que le romancier limite la description aux facteurs contribuant à l'étude du sentiment qui forme le sujet du livre. En revanche, avec *Dans le Labyrinthe*, il revient, dans le cadre de la polarité chambre-ville, à la création d'une cité imaginaire ou, plus exactement, à l'invention d'un nombre considérable d'aspects du paysage urbain: rues, maisons, cafés, caserne, etc. Que l'église n'en fasse pas partie surprend moins que dans les exemples précédents, se justifie peut-être par la volonté de ne pas rompre la monotonie de maisons identiques rangées le long d'un parcours circulaire;

4

le fait reste que ce fragment de ville témoigne, lui aussi, de la répugnance à évoquer les formes extérieures du culte. Il s'est trouvé des critiques qui, se saisissant de l'ombre en croix portée par la baïonnette, ont attribué au *Labyrinthe* l'intention de rappeler les préoccupations religieuses de l'homme ; ce sont les mêmes qui ont voulu voir dans les pérégrinations du soldat une image du destin de l'humanité ; or, dans les deux cas, il s'agit d'interprétations symboliques, ajoutées à la réalité immédiate du roman à laquelle on a convenu de se limiter. Selon la perspective adoptée ici, la baïonnette ne signifie autre chose que la présence d'une baïonnette et, par extension, la présence d'une arme de guerre. On pourrait en tirer la preuve que le monde de Robbe-Grillet comporte l'idée du conflit armé et de la violence. Mais seul le recours au symbole, honni par le romancier, permet de parler de religion, dans le *Labyrinthe* ou dans les autres romans.

La situation de *Marienbad* répète essentiellement celle de la *Jalousie*. Dans l'*Immortelle*, cependant, pour la première fois, églises et prière font une apparition soutenue. On pourrait remarquer qu'il ne s'agit pas de vraies églises mais de mosquées, que la prière est musulmane, que le dépaysement enlève à ces éléments leur connotation authentiquement religieuse dans l'expérience d'un auteur ou d'un lecteur français, voire occidentaux, et cela d'autant plus que les protagonistes eux-mêmes y voient surtout la couleur locale, l'intérêt touristique, un lieu de rendez-vous, et non une manifestation du culte. Il n'en reste pas moins que des références à la religion semblent faire irruption dans la vision de Robbe-Grillet. Du moins, il en serait ainsi si l'on acceptait de compter l'*Immortelle* parmi les sources significatives de l'univers imaginaire de l'auteur, à égalité avec ses autres œuvres.

Or, une différence fondamentale sépare le ciné-roman du roman tout court : le fait que le décor ne constitue plus une expression intégrale de la liberté de l'auteur mais un choix d'images d'une réalité préexistante. On pourrait concevoir un ciné-roman dont les décors seraient complètement artificiels, relevant de la seule imagination du scénariste ; on aurait alors le cinéma en chambre, le théâtre filmé, ou des films expressionnistes, caligaresques. *Marienbad* s'apparente à cette catégorie : la description de l'hôtel baroque est sortie, dans ses grandes lignes, de la fantaisie de l'auteur avant de trouver une expression concrète à Nymphenburg. De plus, le château de Marienbad ne prétend pas reproduire Nymphenburg, bien qu'il en ait tiré sa substance ; dans l'esprit du ciné-roman (et dans celui du film), il reste un lieu imaginaire, n'ayant d'autre réalité que l'œuvre d'art elle-même. Le cas de l'*Immortelle* est tout autre. Il s'y agit spécifiquement de Constantinople, défini et reproduit au moyen d'une transcription littéraire et cinématographique d'un certain nombre de ses aspects dont l'autonomie en dehors de l'œuvre d'art ne peut être mise en doute. Le ciné-roman, dans son écriture et dans son anecdote, s'affirme comme invention, mais son décor géographique vient de l'extérieur, constitue une référence fidèle au monde objectif et, à ce titre, ne fait pas proprement partie de la vision de l'écrivain. Emprunt plutôt que création, il est légitime de ne pas en tenir compte, et partant d'éliminer ses éléments, lorsqu'on considère l'univers robbe-grilletien.

Avec la *Maison de rendez-vous,* on revient à une géographie essentiellement romanesque. Si l'action se déroule à Hong-Kong, donc dans un lieu supposé réel, l'auteur prend soin d'avertir que « toute ressemblance, de décor ou de situation, avec celui-ci ne serait que l'effet du hasard, objectif ou non » (*MR,* p. 7). Quelques noms de quartiers, généralement connus, quelques images stéréotypées suffisent à évoquer le cadre exotique; pour le reste, l'imagination lui prête son apparence. Il n'y aura donc ni églises, ni temples, ni même missionnaires dans le Hong-Kong de Robbe-Grillet, mais des hôtels, des fumeries d'opium et des maisons de plaisir. On n'y parlera ni de Dieu ni de Satan, mais de drogue, d'espionnage, d'amour et de crime. Ce qui paraît au reste tout à fait naturel dans le cadre d'une ville conçue à partir de sa réputation de capitale du vice.

En somme, à l'exception de l'*Immortelle,* on a affaire à un choix constant et délibéré de rayer la vie religieuse tant chez les individus que dans le décor. Le monde d'Alain Robbe-Grillet est un monde sans Dieu dans le sens le plus absolu. Il ne s'agit pas d'un monde où Dieu est nié à la suite d'une réflexion sur la condition humaine ou sur la nature de l'univers, comme dans l'*Etranger* ou dans les romans de Malraux, ni même d'un monde où Dieu se trouve relégué à la fonction d'un mythe d'un certain groupe social pour lequel l'écrivain, lui-même incroyant, n'éprouve que mépris, comme dans les romans de Sartre, mais bien d'un monde totalement nettoyé de la présence divine.

Par cette exclusion silencieuse de la transcendance surnaturelle, Robbe-Grillet va plus loin que les athées militants qui, engageant une polémique avec la religion, entrouvrent par la même occasion une échappée vers la possibilité d'un infini ou d'un dépassement de la condition humaine. Chez lui, le domaine de la réalité se borne rigoureusement à l'existence de l'homme dans un univers matériel, sans nulle notion d'un appel à une source extérieure de salut ou de grâce, sans nulle idée d'un prolongement dans des significations ou des justifications supérieures, sans évasion hors de l'imagination. Sans doute, dans le roman contemporain, une telle vision n'est-elle pas vraiment originale, l'homme étant généralement posé comme son seul témoin par la plupart des nouveaux romanciers; mais, au coin d'une cathédrale, dans une œuvre de charité, à propos d'un sursaut moral ou d'un aperçu de l'Histoire, voire à la faveur de quelque rencontre persuasive des mots, il est rare qu'on ne puisse y apercevoir, ou deviner, une solidarité avec quelque chose de plus grand, une lueur au fond de la contingence, une inquiétude ou une révolte devant l'absence de l'éternel. Point de ces échappatoires chez l'homme robbe-grilletien qui, seul, réduit à ses propres moyens, fait face à un univers qui n'est joint à lui par aucune volonté supérieure. Sans raison, sans explication, sans interrogation même sur l'équité ou sur l'origine de cet état de choses, il se produit seulement une confrontation austère entre la présence humaine et le monde ambiant.

On pourrait, bien entendu, élever cette confrontation au niveau d'une transcendance philosophique, voire métaphysique, en y découvrant certaines lois qui dépassent la condition humaine. Dans plusieurs essais, dont *Nature, Humanisme, Tragédie* où cette idée reçoit le plus d'attention, Robbe-Grillet a donné ses raisons de rejeter « la complicité fatale »

6

établie dans cet esprit entre l'homme et l'univers, soit au moyen d'une « communion » suggérant une vérité universelle où les deux éléments puissent se concilier, soit au moyen de la « tragédie » qui, de la distance entre ces deux natures incompatibles, tire une interprétation dramatique du destin. Malgré l'obscurité de certaines notions, notamment une définition équivoque de l'humanisme, ces considérations théoriques présentent un intérêt appréciable tant par le choix heureux des formules qu'elles offrent — « les choses sont les choses, et l'homme n'est que l'homme » (*PNR,* p. 47), que par la lumière qu'elles projettent sur les intentions de l'auteur. Il est utile de savoir que la position théorique de Robbe-Grillet comporte le refus de toute complicité entre l'homme et l'univers, partant, de toute transcendance fondée sur une négation ou sur une réconciliation de leur altérité, et qu'il prétend, au contraire, « constater cette séparation, cette distance, sans chercher à opérer sur elle la moindre sublimation » (*PNR,* p. 47). Le souci qu'il montre d'établir nettement cette contingence indique en tout cas l'importance qu'il attache à cet aspect de son œuvre et suggère que c'est là le centre névralgique de sa vision du monde. Cette hypothèse semble d'autant plus valable qu'elle permet d'expliquer les premières réactions des critiques qui, dans l'œuvre de Robbe-Grillet, ont été justement hypnotisés par cette absence de signification humaine dans la description des choses. Sans préjuger du résultat, et sans chercher à confronter ces idées théoriques avec la réalité romanesque, qui seule importe ici, il paraît donc intéressant d'aborder la vision du monde dans les romans de Robbe-Grillet par une discussion, sur textes, des rapports entre l'homme et l'univers.

CHAPITRE II

« LES GOMMES » (1953)

Pour dégager les fondements de la vision du monde de Robbe-Grillet, il convient de revenir aux *Gommes,* premier roman peu remarqué lorsqu'il a paru en 1953 mais qui, depuis lors, ne cesse de faire l'objet d'interprétations contradictoires. Il contient déjà, bien que souvent d'une manière embryonnaire, la plupart des notions qui deviendront évidentes, en s'accusant, dans les œuvres plus mûres ; et cette richesse de thèmes, alliée à une certaine imprécision dans leur maniement, donne lieu à des exégèses diverses. On peut en rappeler les plus marquantes qui, par leur contraste même, rendent compte à la fois de la complexité du roman et de la difficulté d'en saisir le sens.

Tour à tour, on a défini les *Gommes* comme un ouvrage policier (Manuel Rainoird), comme un manifeste du chosisme (Roland Barthes), comme une tragédie classique (Germaine Brée), comme une version moderne de la légende d'Œdipe (Bruce Morrissette), comme un anti-roman cinématographique (Jean Miesch), et comme un ouvrage ironique se proposant de détruire le recours aux mythes en littérature (Olga Bernal) [1]. Cette dernière thèse, la plus originale sans doute, s'oppose explicitement à la tendance, représentée en premier lieu par Bruce Morrissette, à donner des significations anecdotiques aux romans de Robbe-Grillet, alors que le romancier a expressément annoncé que ce serait trahir ses intentions. Il faut reconnaître que Mme Bernal dispose là d'un argument de poids. On a quelque scrupule, pourtant, à la suivre jusqu'au bout de son raisonnement, surtout parce que cela exigerait de présumer, chez un romancier néophyte, la volonté qu'elle nous donne pour acquise, mais sans preuves emportant la conviction, de consacrer son premier roman sérieux non pas à une première expression de sa vision, mais à une entreprise d'escamotage de sens, où la réalité romanesque et les ressorts principaux de la trame et de la structure ne renverraient qu'à une illusion. En revanche, si on ne trouve rien à redire à l'explication de texte de M. Morrissette qui, d'une façon magistrale, a su démontrer que les *Gommes* transposent la légende d'Œdipe dans un registre contemporain, on doit reconnaître qu'il serait fort curieux que Robbe-Grillet ait choisi, pour son coup d'essai, de remettre au goût du jour, fût-ce sous une forme révolutionnaire, un mythe pourri des significations qu'il récuse par ailleurs.

Si l'on se déclare ainsi insatisfait de ces deux interprétations majeures, c'est qu'il semble bien que toutes les deux, correctes dans l'ensemble des détails, perdent de vue le dessein principal de l'œuvre, soit la création d'une réalité romanesque, en surestimant la portée des éléments qu'elles ont eu le grand mérite de découvrir. Ne serait-ce point, en effet, dans la vision du monde de Robbe-Grillet que réside la démarche primordiale à la faveur de laquelle on peut concilier, en les complétant, mais aussi en limitant leur ambition, non seulement les aperçus de Mme Bernal et de M. Morrissette, mais ceux de Mme Brée et de M. Barthes? Et, dans cette vision du monde, l'élément de contrôle ne consisterait-il pas précisément en ce propos, qui tient tant de place dans les écrits théoriques de l'auteur, d'affirmer clairement l'incompatibilité de l'univers et de l'homme, en insistant sur la différence de leurs natures?

Trois textes qui introduisent les *Gommes* auprès du lecteur sont particulièrement significatifs à cet égard: la prière d'insérer qui définit le roman comme le récit de vingt-quatre heures « en trop », l'épigraphe qui cite Sophocle, et, surtout, trois paragraphes de la première page:

> Il [le patron du café] n'a pas besoin de voir clair, il ne sait même pas ce qu'il fait. Il dort encore. De très anciennes lois règlent le détail de ses gestes, sauvés pour une fois du flottement des intentions humaines; chaque seconde marque un pur mouvement: un pas de côté, la chaise à trente centimètres, trois coups de torchon, demi-tour, deux pas en avant, chaque seconde marque, parfaite, égale, sans bavure. Trente et un. Trente-deux. Trente-trois. Trente-quatre. Trente-cinq. Trente-six. Trente-sept. Chaque seconde à sa place exacte.
>
> Bientôt malheureusement le temps ne sera plus le maître. Enveloppés de leur cerne d'erreur et de doute, les événements de cette journée, si minimes qu'ils puissent être, vont dans quelques instants commencer leur besogne, entamer progressivement l'ordonnance idéale, introduire çà et là, sournoisement, une inversion, un décalage, une confusion, une courbure, pour accomplir peu à peu leur œuvre: un jour, au début de l'hiver, sans plan, sans direction, incompréhensible et monstrueux.
>
> Mais il est encore trop tôt, la porte de la rue vient à peine d'être déverrouillée, l'unique personnage présent en scène n'a pas encore recouvré son existence propre. Il est l'heure où les douze chaises descendent doucement des tables en faux marbre où elles viennent de passer la nuit. Rien de plus. Un bras machinal remet en place le décor (*G*, p. 1).

L'importance de ce dernier texte, où un jeune auteur annonce avec une bonne foi désarmante le sens du livre qui va suivre, n'a pas échappé aux critiques. M. Morrissette y voit une confirmation de son explication du roman en termes de tragédie grecque et, plus spécifiquement, du mythe d'Œdipe; de plus, dans le deuxième paragraphe, il trouve une justification de l'obscurité qui dissimule cette intrigue centrale sous les feux croisés d'une multiplicité de points de vue et sous le traitement en « casse-tête » de la structure temporelle. Ce qu'il n'établit pas, pourtant, c'est la raison de ce choix étrange d'un mythe grec comme thème principal du roman, ni les rapports que ce choix entretient avec la technique romanesque de l'auteur, marquée du modernisme.

Mme Bernal, à son tour, s'empare de la brève allusion au temps qui « ne sera plus le maître », la confronte avec l'épigraphe du roman selon laquelle « le temps qui veille à tout a donné la solution malgré toi », et tire de ces affirmations contradictoires la théorie selon laquelle

Robbe-Grillet envisagerait deux espèces bien distinctes de temps: l'un purement neutre et l'autre mythique, c'est-à-dire affecté par l'activité fabulatrice de l'homme. La fable, sous la forme d'une adaptation moderne de la légende d'Œdipe, se serait glissée dans le décalage temporel de vingt-quatre heures entre les deux coups de pistolet; or, comme ces vingt-quatre heures sont « en trop » et représentent le temps mythique, toute l'interprétation mythologique serait, elle aussi, superflue, illusoire, fiction de l'imagination. Le roman viserait essentiellement à dénoncer le caractère mensonger des affabulations fondées, telle l'histoire d'Œdipe, sur le penchant regrettable de notre civilisation à attribuer des significations profondes à des événements fortuits.

Il semble bien que cette thèse joue un peu trop sur le sens ambigu du concept du temps, dont la critique abuse depuis Bergson et Proust. Le temps neutre ou *nécessaire* correspond, selon Mme Bernal, au déroulement objectif des événements purs; il s'agirait d'une sorte de contenant qui, par métonymie, remplace dans l'usage verbal le contenu réel. Seulement, pourquoi serait-il nécessaire? Est-ce parce qu'il implique une idée de fatalité? Cela ne s'accorderait guère avec le propos du critique qui, justement, impute aux actes purs, dépouillés de significations culturelles, une liberté s'exerçant en marge de toute fatalité. Ou encore la nécessité renvoie-t-elle simplement au caractère achevé, figé, donc nécessaire des actes réellement accomplis ? Mais, dans ce cas, tout événement, aussi entaché qu'il soit de la fabulation, trouvera sa place dans cette catégorie du moment qu'il s'est réellement passé, et la suite d'actions composant la version moderne du mythe d'Œdipe méritera, au même titre que les incidents d'avant et d'après les vingt-quatre heures « de trop », d'être comptée dans le contenu du temps nécessaire, et, partant, neutre. La distinction entre les deux sortes de temps résiste ainsi peu à l'analyse dans les conditions dans lesquelles elle est présentée. Elle se justifierait mieux si l'on faisait abstraction de la notion de nécessité. On aurait alors un temps neutre, englobant les événements purs, et le temps mythique, correspondant aux actes dérivés de quelque fable humaine; identiques dans leur manifestation concrète, ces deux ordres se distingueraient par la manière dont la conscience les perçoit. Malheureusement, cette interprétation contredit les conclusions de Mme Bernal, car, si l'on s'y borne, les vingt-quatre heures cruciales deviennent nécessaires et non « en trop », et leur contenu, soit l'aventure de Wallas-Œdipe, n'a plus rien d'illusoire; par la même occasion, le roman perd son caractère ironique, du moins en ce qui concerne son dessein principal.

Il faut revenir au texte. Que signifient au juste ces vingt-quatre heures « en trop »? Selon la prière d'insérer, il s'agirait du « temps que la balle a mis pour parcourir trois ou quatre mètres », et, si on pouvait prendre cette définition à la lettre, on aurait réellement affaire à vingt-quatre heures mythiques, chimériques, superflues. Il se peut que madame Bernal ait été influencée par cette hypothèse. Toutefois, pour précis qu'il se montre dans ses romans et dans ses essais, Robbe-Grillet donne volontiers un tour mystérieux et équivoque à ses prières d'insérer. Les événements concrets rapportés, ou inventés, peu importe, dans les *Gommes* font état non pas d'une mais de deux balles différentes tirées dans un intervalle de vingt-quatre heures. La balle de Garinati ne fait que blesser le professeur Daniel Dupont, bien que tout le monde croie à un meurtre, et il faut celle de Wallas, tirée il est vrai dans des circonstances presque identiques, pour parachever cette mort. Dans la perspective de ce résultat, les vingt-quatre heures ne peuvent guère être déclarées « en trop »; loin d'apparaître superflues, elles semblent au contraire indispensables à la mise en œuvre d'une certaine structure romanesque et à l'animation d'un certain fragment de réalité; sans elles, point de correspondance entre les deux coups de pistolet, point de roman.

Convient-il d'en conclure que Robbe-Grillet se joue du lecteur en utilisant le terme « en trop »? L'imprécision n'entend pas nécessairement la dérision. En examinant de plus près les circonstances des deux actes du drame, on y découvre la possibilité d'une interprétation qui permet de concilier le caractère « en trop » des vingt-quatre heures en cause et la fonction essentielle qu'elles jouent dans le roman. Il suffit de remarquer que, pour assassiner Dupont, Garinati avait été muni d'un plan détaillé et, en théorie, infaillible. S'il l'avait exactement, mécaniquement suivi, en robot plus qu'en être humain, l'assassinat se serait accompli à l'endroit et au moment prévus par l'ordonnance des mouvements réglés à l'avance. Mais si le plan est infaillible, Garinati ne l'est pas. Le voici qui pénètre dans la maison de Dupont:

Le parcours immuable se poursuit. A mouvements comptés.
La machinerie, parfaitement réglée, ne peut réserver la moindre surprise. Il ne s'agit que de suivre le texte, en récitant phrase après phrase, et la parole s'accomplira... (*G*, p. 13).

Garitani monte l'escalier, entre dans le bureau du professeur. Il ne lui reste plus qu'à éteindre la lumière pour suivre la consigne à la lettre. Mais il hésite, il se laisse distraire, il donne une petite entorse au plan. Et c'est trop tard: Dupont ouvre la porte. Tirée au jugé, sous un éclairage défavorable, la balle manque son but. « La plus petite faille a suffi » (*G*, p. 10).

Robbe-Grillet oppose ici deux ordres de phénomènes. D'une part, un domaine inhumain d'événements prescrits par un schéma donné à l'avance ou par une ordonnance idéale et nécessaire, et d'autre part le domaine d'actes humains, indéterminés, imprévisibles, incertains, exprimant une liberté qui s'insurge instinctivement contre l'ordre et, temporairement au moins, arrive à le déranger. L'erreur de Garinati a suffi pour faire dérailler un plan qui avait tout prévu, qui avait tenu compte de tous les éléments objectifs sauf, précisément, de l'incertitude des réactions humaines. Il faudra vingt-quatre heures d'autres erreurs humaines, se combinant et s'annulant, mais concourant toujours au résultat final, pour que la machinerie se remette au régime, pour que la parole s'accomplisse, pour que l'ordre l'emporte sur le désordre apporté par l'homme. Lorsque Wallas tue Daniel Dupont, il le fait sans doute par accident, comme le note Mme Bernal, mais cet accident n'en contribue pas moins à satisfaire enfin les exigences de l'ordre. Le temps qu'il a fallu pour le rétablir se dévoile ainsi comme superflu — car, tout compte fait, il n'a rien changé à l'ordonnance idéale des événements — et nécessaire — car, sans lui, cette ordonnance n'aurait pas prévalu.

L'épigraphe du roman propose la même leçon. Même pris hors du contexte, ce temps qui « a donné la solution malgré toi » renvoie clairement non à un temps métaphysique, métaphorique ou intérieur, mais simplement à l'écoulement temporel qui peut se mesurer en secondes, en jours, ou en années. Sans chercher des explications compliquées, il convient de comprendre cette phrase, moins pythique qu'on l'aurait cru, comme la paraphrase poétique d'un corollaire naturel impliqué par une vision du monde fataliste: quelque effort que l'homme fasse pour échapper à son destin, celui-ci prévaut à la longue. Et si ce temps « veille à tout », n'est-ce point parce que cette fatalité régit l'univers tout entier, ordonne toutes ses manifestations? Fatalité, destin, plan, ordre, schéma, nécessité — autant de mots interchangeables qui conviennent à décrire la nature du monde dans lequel se débat le personnage de Robbe-Grillet mais auquel, bien qu'il succombe sous ses lois, il n'appartient pas à cause d'une liberté ambiguë qui l'en distingue.

Car cette liberté, dans les *Gommes* au moins, Robbe-Grillet ne l'exalte pas d'un mouvement entier à la manière des existentialistes. Non seulement, en dernière analyse, elle s'avère dérisoire, mais il y voit une source de confusion, un principe de désorganisation, tranchant sur la beauté géométrique du monde nécessaire. Les trois paragraphes de la première page contiennent visiblement une bonne dose d'ironie dans la préférence qu'ils donnent à l'ordre sur le désordre, à l'harmonie des choses sur les aberrations de l'homme; il reste qu'ils insistent sur le caractère incohérent et incongru des actions humaines qui ouvrent des failles dans la symétrie de l'univers. La signification du passage devient évidente si on en reprend les idées principales dans la perspective de cette démarche.

1. Tant que le patron, encore endormi, n'est pas conscient de ses actes, ses gestes sont machinaux et obéissent à des lois: ils constituent de purs mouvements, soit de purs événements, intégrés au cadre inanimé des objets. Sans conscience, sans volonté, sans liberté, le patron est réduit à un élément du monde neutre; il n'a pas encore d'existence propre en tant qu'être humain.

2. Toutes les secondes sont égales et sans bavure, chacune remplissant son espace exact dans le schéma temporel; en conséquence, le déroulement des événements suit un ordre naturel et préétabli, pas encore contaminé par l'intervention de la liberté humaine. C'est le domaine où le temps neutre est maître. Le temps, dans ce sens, montre bien ce caractère nécessaire que signalait Olga Bernal, mais sa « neutralité » ne provient pas, comme elle l'avançait, de l'absence d'une activité fabulatrice de l'homme, mais plus généralement de l'absence de toute forme d'activité consciente de l'homme.

3. Dès que le patron s'éveillera et que d'autres personnages feront intervenir le « flottement des intentions humaines », les événements se mettront à suinter l'erreur et le doute, « à entamer l'ordonnance idéale », à semer « la confusion », bref à composer un temps corrompu, « sans plan, sans direction, incompréhensible et monstrueux ». C'est le résultat de la présence de l'homme dans l'univers.

Dans une telle vision du monde, le choix du mythe d'Œdipe comme ressort de l'action et charpente structurelle du roman ne doit plus s'expliquer par un intérêt singulier pour ce thème et, partant, par l'ambition d'en écrire une version moderne, ni par une intention ironique de « gommer » l'emploi des mythes en littérature, de faire voir qu'ils sont superflus, illusoires, mensongers. Il s'agit plus simplement des avantages pratiques que l'adaptation de cette légende universellement connue présente pour une mise en œuvre romanesque de l'opposition entre la nature de l'univers et la nature de l'homme. Le prolongement et la réflexion de la situation de Wallas dans la dimension d'un mythe permettent de mieux faire ressortir et de généraliser les rapports essentiels entre la fatalité et la liberté. Le destin d'Œdipe se prête particulièrement à cette fonction amplificatrice. Car on pourrait difficilement trouver un modèle légendaire où l'accomplissement d'un ordre idéal s'effectue dans une telle explosion de bruit et de fureur, dans une telle accumulation d'erreurs et d'incertitudes dues au facteur humain. De plus, par le truchement de la fameuse devinette, le sort d'Œdipe, ou par extension celui de Wallas, en vient à s'élever au niveau de la condition humaine en général; l'exercice de la liberté se résout de tous temps en une comédie d'erreurs ou en une tragédie de l'impuissance; éventuellement, « tout rentre dans le jeu ».

Faut-il en conclure, comme Bernard Dort le fait, que le Robbe-Grillet des *Gommes* souscrit au fatalisme? [2] Bien que, nulle part dans ses écrits théoriques, on ne trouve la défense d'une telle position, la lecture du texte semble l'impliquer puisque, au terme du roman, le professeur Dupont tombe victime du destin qui lui était réservé dès les premières pages. La réalité romanesque se ferme sur l'accomplissement d'un geste sur lequel elle s'était ouverte. Mais il y a aussi des indications contraires. Du point de vue de Dupont, cette fin dramatique provient, en effet, non de l'accomplissement mais, au contraire, de l'échec de ses plans à lui, disposés avec autant de précision et de certitude que le schéma de l'assassinat et, comme celui-ci, mais sans récupération in extremis par le destin, brisés par une faille, une faiblesse humaine. Il apparaît par conséquent que l'ordre ne prévaut pas toujours sur le désordre ou, plus exactement, que la présence de l'homme dans le monde engage une corrélation de plusieurs ordres possibles, dont certains l'emportent sur d'autres et déterminent les lignes directrices du système. L'ordonnance des événements qui exigeait la mort de Dupont était de toute évidence plus nécessaire que le plan qui devait le sauver; or, parmi les raisons possibles de cette priorité, il en est qui dérivent du rôle de la fatalité: le schéma de Bona s'affirme fatal parce qu'il se présente sous une forme impersonnelle, concerne un autrui qu'aucun rapport humain direct ne lie à l'auteur du plan, s'appuie surtout sur l'utilisation des lieux, des objets, des actions routinières, bref ressemble à une machinerie mise en marche par des forces extérieures à l'homme; celui de Dupont est essentiellement personnel, prend naissance dans une réaction d'auto-défense, vise l'intérêt immédiat de son auteur, mise sur le comportement de ses amis, bref se rapproche, malgré sa rigueur interne, d'une « intention flottante ». On retrouve ainsi l'opposition entre l'humain et l'inhumain, et la supériorité de ce dernier. Donc: la fatalité. Le choix du mythe d'Œdipe comme motif du roman contribue aussi à renforcer et à justifier l'action de la fatalité par l'évocation de la volonté des Dieux comme source mythique de l'anecdote. Ironique ou non, une recréation de la tragédie grecque ne peut manquer de suggérer une idée de destin.

Il reste que le problème est épineux. Un autre passage des *Gommes* permet de mieux l'éclairer. Il s'agit d'une sorte de réflexion sur le sens du roman sous la forme d'un tableau figé, qui saisit le point de rencontre de la fatalité et de la liberté humaine, éternise le moment privilégié où l'action consciente peut introduire le flottement dans l'ordre extérieur :

> Dans ce décor fixé par la loi, sans un pouce de terre à droite ni à gauche, sans une seconde de battement, sans repos, sans regard en arrière, l'acteur brusquement s'arrête, au milieu d'une phrase... Il le sait par cœur, ce rôle qu'il tient chaque soir; mais aujourd'hui il refuse d'aller plus loin. Autour de lui les autres personnages se figent, le bras levé ou la jambe à demi fléchie. La mesure entamée par les musiciens s'éternise... Il faudrait faire quelque chose maintenant, prononcer des paroles quelconques, des mots qui n'appartiendraient pas au livret... Mais, comme chaque soir, la phrase commencée s'achève, dans la forme prescrite, le bras retombe, la jambe termine son geste. Dans la fosse, l'orchestre joue toujours avec le même entrain (*G,* pp. 13-14).

Mme Bernal, qui a remarqué l'importance de ce passage, parle à ce sujet des « personnages-pantins, des hommes-marionnettes », dont Robbe-Grillet ne pourrait avoir aucun désir de décrire la réalité et qu'il mettrait donc en scène uniquement pour démasquer l'inanité des actions accomplies dans l'absence de la liberté, c'est-à-dire, dans la perspective du critique, des actions qui se règlent sur un héritage mythique ou des conventions littéraires [3]. Encore qu'on puisse mettre en doute cette conclusion, parce que rien ne permet d'avancer que la description d'un monde mécanique intéresse moins un romancier que celle d'un univers marqué par le libre arbitre (au contraire, l'évolution des mœurs semble même encourager le choix d'un tel sujet), il reste que l'image de Mme Bernal définit assez heureusement le caractère de cette représentation opératique imaginaire *avant* et *après* le mouvement d'arrêt. En effet, tout ce qui précède et suit le moment central où l'acteur s'arrache au temps neutre, tombe sous le coup de la fatalité, en obéissant automatiquement à la loi (au livret, à la forme prescrite) qui détermine le comportement des personnages; et ceux-ci, inconscients, plongés dans une transe qui rappelle l'état endormi du patron du café au début du roman, se trouvent dépourvus d'une « existence propre », n'agissent qu'en fonction de leur rôle et non de leur liberté.

Mais c'est une description partielle, qui insiste sur l'accessoire — la marge temporelle avant et après le nœud — et passe sous silence le thème principal. Car la petite scène est visiblement introduite dans le corps du récit pour amener et pour mettre en valeur l'instant de flottement durant lequel l'acteur refuse brusquement sa condition de jouet de la fatalité. Il suspend sa récitation mécanique, frappé par un besoin confus et subit d'exprimer sa liberté, de poser des actes proprement humains, partant incertains, imprévisibles, destructeurs de l'ordre. De même le patron, sortant de son sommeil et du domaine de la nécessité, « cherchant à se reconnaître au milieu des tables et des chaises » (*G,* p. 1), émergeait « péniblement » de l'inconscience avant de participer à la confusion des vingt-quatre heures suivantes. Puis, comme le patron qui, à la fin du roman, retombera dans la léthargie après avoir senti son identité se dissoudre de nouveau dans l'ordre des choses — malgré son insistance d'abord hystérique, plus résignée, machinale: « Le patron c'est moi. Le patron c'est moi. Le patron c'est moi le patron... le patron... le patron...» (*G*, p. 257) — l'acteur, lui aussi, rejoint le mouvement ordonné du temps, oublie son intuition éphémère de la liberté, laisse se perdre l'impulsion fugitive de se conduire en être humain et non selon un schéma mécanique.

Le système des rapports entre l'homme et l'univers commence à se préciser. Les diverses indications trouvées dans le texte concourent à montrer que, pour l'auteur des *Gommes,* l'homme et le monde relèvent de deux manières d'être différentes, et que la liberté de l'un se heurte à la fatalité de l'autre, celle-ci l'emportant à la longue sur celle-là. Au reste, pratiquement, les activités humaines ne manifestent pas toujours cette liberté, ne cherchent pas souvent à entamer l'ordre. L'homme se laisse aller à l'observation des pratiques routinières et réglées de l'extérieur. Seules des situations exceptionnelles, seuls des sentiments particulièrement violents peuvent l'élever à un degré d'insubordination qui mène à l'incohérence et au désordre. En vérité, on peut parler de deux sortes de comportements, de deux façons d'envisager l'homme: en élément impersonnel d'un univers ordonné, et en élément subjectif s'opposant à cet ordre. Dans ce sens, le dilemme où M. Dort enferme le héros de Robbe-Grillet: « Ou pure liberté; ou produit d'une fatalité absolue » [4] définit assez bien le choix qui se pose au romancier au moment où il campe ses personnages, selon qu'il les saisit à l'instant de révolte ou en état de soumission; mais il reste entendu que le moment de liberté finit par se fondre dans la fatalité. On verra plus loin que cette double perspective se retrouve dans la dualité de la nature humaine qui marque le versant psychologique des romans de Robbe-Grillet.

Ce qu'il faut retenir ici, c'est le caractère indéfinissable, insaisissable et, avant tout, *mystérieux*, de l'éveil soudain à la suite duquel l'homme revendique son altérité, se pose en liberté, se met à sécréter ses intentions obscures mais corrosives dans le monde ambiant. Dans la perspective de la fatalité, ce moment magique se réduit à un instant, comme dans le tableau « en abyme»; selon l'angle humain, il peut avoir une durée indéterminée, vingt-quatre heures par exemple, comme dans les *Gommes*. De toutes manières, il constitue un scandale, un bouleversement incompréhensible de l'ordonnance temporelle et matérielle, une faille ou plutôt une crevasse inattendue dans la surface familière des choses. Quand Wallas, en costume de ville, se promène sans hâte dans le quartier ouvrier le matin, il donne lieu à un pareil scandale parce que « cette indépendance vis-à-vis du lieu et de l'heure a quelque chose d'un peu choquant » (*G*, p. 35). Il importe de noter que ce choc, s'il reflète une atteinte à l'ordre, ne se déclenche qu'à la faveur de l'ignorance des circonstances qui expliquent cet apparent accroc à la règle. Le lecteur, qui sait à quoi s'en tenir, trouve toute naturelle la promenade de Wallas; seuls les ouvriers du quartier sont surpris. Le scandale sous-entend ici un défaut de connaissance, un creux obscur dans le relief du monde, une énigme à la surface du comportement d'autrui. D'une manière plus générale, le comportement de Wallas apparaît choquant tout au long des vingt-quatre heures parce qu'il déroge à l'image qu'on se fait d'un détective, parce qu'il semble incompréhensible tant qu'on cherche à le rapporter à la fonction objective d'un agent chargé d'une enquête, c'est-à-dire tant qu'on ne comprend pas la véritable signification de sa mission; c'est seulement après avoir découvert qu'elle se réduit à l'accomplissement d'un destin qu'on peut déchiffrer l'aspect équivoque de ce comportement et l'intégrer dans un schéma compréhensible. L'intervention scandaleuse de la liberté humaine dans l'ordonnance de l'univers, incompréhensible et monstrueuse, et monstrueuse parce qu'incompréhensible, se pare ainsi chez Robbe-Grillet de toutes les séductions qu'inspire le mystère. Tant que les motifs ou les actes de ses personnages resteront ambigus, il les abordera avec un mélange de curiosité et de méfiance, de fascination et d'aversion.

Mystère, énigme, ambiguïté — quel que soit le terme employé pour investir les romans de Robbe-Grillet d'un parti-pris d'obscurité, il faut ainsi reconnaître que, loin de s'amuser à mettre des obstacles gratuits devant la compréhension, le romancier fait dériver la nécessité de cet hermétisme à partir de la dichotomie de sa vision du monde. Si le domaine de l'ordre, fait de gestes purs et d'objets, « sauvés ... du flottement des intentions humaines », obéit par définition à des lois sûres, inhumaines sans doute mais réductibles à des principes reconnaissables et donc traduisibles en langage clair et sans équivoque, les actions humaines, entachées d'erreurs, de confusion, d'indétermination, doivent demeurer secrètes tant qu'elles ne se dissolvent pas dans l'ordonnance universelle, et s'enrober d'un mystère qui empêche leur transcription rationnelle. Voilà pourquoi les décors de Robe-Grillet sont d'une précision lumineuse. Mais voilà aussi pourquoi ses personnages se meuvent en pleine équivoque et pourquoi l'auteur se refuse à essayer d'analyser leurs intentions ou leurs réflexions, et, au contraire, embrouille à dessein les fils conducteurs qui pourraient converger vers une explication schématique. Enfin, voilà pourquoi cette désorganisation voulue s'ordonne, à la fin de la lecture, en une manifestation systématique de la fatalité. La dualité que Robbe-Grillet établit dans sa réalité romanesque se répète en écho dans sa démarche littéraire, respectant d'une part le caractère énigmatique des interventions authentiquement humaines et, de l'autre, limitant cet effet scandaleux à la durée et aux résultats éphémères des sursauts de la liberté.

Il est vrai que les *Gommes* comportent deux autres formes d'ambiguïté qui, toutes les deux, non seulement ne doivent rien à la vision du monde de l'auteur mais, en fait, semblent la contredire parce qu'elles se situent dans le domaine des faits objectifs qui, en théorie, devrait être transparent. Il s'agit d'une part du cadre policier du roman, qui suggère automatiquement l'existence d'une certaine énigme, et d'autre part de la manière tarabiscotée dont est chiffré le mythe d'Œdipe et qui exige du lecteur attentif un véritable travail de déchiffrement. Certes, ces deux facteurs contribuent à intensifier l'atmosphère mystérieuse du roman et à obscurcir ses contours déjà imprécis. On aurait tort, cependant, d'exagérer leur portée et de déduire de leur présence l'évidence d'une ambiguïté qui, indépendamment de l'activité humaine, porterait atteinte à l'organisation symétrique du monde neutre. Au contraire, à une lecture minutieuse, ces apparentes obscurités se résolvent en clarté et, précisément, permettent de mieux faire contraster l'ordre nécessaire de la finalité et l'incohérence des gestes humains. Car le lecteur, à la différence des personnages, connaît la solution de l'énigme depuis le début du roman, et les indices semés dans le texte établissent sans équivoque l'identité Wallas-Œdipe. Tout au long des pages, il peut ainsi mesurer la distance entre l'image objective des divers événements de l'histoire et les représentations fantaisistes que s'en font les protagonistes ; puis, le livre terminé, juger ses propres illusions avant la découverte du sens allégorique de l'anecdote. Il n'y a donc pas de mystère véritable, mais seulement une ambiance un peu trouble, un soupçon d'hermétisme, qui disparaissent au contact intime avec l'œuvre. On a l'impression que, dans ce premier ouvrage, Robbe-Grillet s'est laissé séduire ou entraîner, comme tant de romanciers de sa génération, par les possibilités offertes par le crime et le chiffre pour introduire le secret au sein de l'univers. L'effet qu'il en tire estompe, à distance, les données de sa réalité romanesque mais manque d'entamer sérieusement les grandes lignes de sa vision du monde.

Deux principes, donc, dans les *Gommes,* l'humain et l'inhumain, avec, entre eux, une zone floue représentée par le comportement automatique des personnages secondaires ou par le côté mécanique ou rituel des gestes des protagonistes pendant qu'ils demeurent ou dès qu'ils retombent dans le domaine de l'ordre. Deux mondes, dont l'un fournit le cadre et le décor et l'autre se trouve à la source du mystère. D'une part la ville et le plan, le mythe d'Œdipe, le message gravé dans les cartes du tarot, les quelques centimètres qui manquent à la mesure crânienne de Wallas, la montre qui s'arrête pendant vingt-quatre heures, les intuitions prophétiques du commissaire Laurent ou de Mme Jean, les correspondances de silhouettes et de revolver — signes concrets de l'immuabilité d'une ordonnance supérieure de l'univers ; de l'autre, la liberté déchaînée et dérisoire de Wallas, de Dupont, de Laurent, de Garinati, de Juard, de Marchat et, dans une certaine mesure, de Bona lui-même qui, en oubliant la fragilité de l'instrument humain, apparaît non plus comme source de la fatalité ou metteur en scène d'une représentation réglée à l'avance, mais à son tour comme un pion, ou tout au plus un intermédiaire faillible d'une nécessité qui le dépasse — une liberté qui se manifeste dans le désordre des impulsions, réactions, réflexions, rêveries, hésitations, gestes, où l'imagination tient autant de place que la réalité, toutes les deux contribuant à produire un réel fantastique, « incompréhensible et monstrueux », faisant explosion l'espace d'un roman avant de s'abîmer dans l'ordre.

Cette confrontation du permanent et de l'éphémère, cette agitation de courte durée qui jaillit de l'ordre pour s'y engloutir à nouveau, ce spasme d'une liberté gratuite et confuse, on pourrait être tenté d'y voir ou d'y attribuer une signification tragique en dépit des protestations formelles de Robbe-Grillet. Ce ne serait pas la première fois qu'une œuvre contredirait les intentions de l'auteur. Il est plus rare que telle mésaventure arrive, de son vivant, à un écrivain conscient du rapport étroit entre la forme et le ton émotif d'un ouvrage et fermement décidé à mettre en œuvre tous ses moyens pour préserver la pureté de la tonalité. La tragédie étant pour une bonne part une question d'écriture, il a suffi à Robbe-Grillet, pour en éviter le piège, de présenter les éléments dramatiques de l'intrigue, et la vision du monde qu'ils révèlent, d'une manière qui en amortisse, déguise ou abolisse le caractère funeste. Il semble bien qu'il y a réussi. Les *Gommes* sont une tragédie en puissance; la conception de la présence de l'homme dans le monde qui s'en dégage contient une charge de potentiel tragique; mais cette possibilité ne se réalise à aucun moment grâce à la perspective, au ton, au style du roman. L'ironie, érigée un peu hâtivement par Mme Bernal en ressort principal de l'œuvre, joue ici un rôle capital. Au moyen de jeux de mots pour initiés (combien de lecteurs se souviennent encore d'Edgar Wallace?), de persiflage des méthodes scientifiques, d'une irrévérence générale à l'égard des actes et des pensées de ses personnages, Robbe-Grillet étouffe efficacement le sentiment de désespoir qui aurait pu se faire jour sans ces précautions. Une distanciation brechtienne réduit les proportions des protagonistes à la taille exiguë et parfois ridicule de personnages de sotie; on ne peut pas prendre au sérieux ni Wallas aux pieds enflés, ni le petit Napoléon Bona, ni le futé Dupont, ni leurs comparses absurdes. Et leur destin, y compris la collision avec la fatalité qui aurait pu donner lieu à la tragédie, est traité avec trop de légèreté, d'insouciance même sous laquelle perce un certain amusement, pour qu'on en éprouve la signification profonde. Robbe-Grillet ne ricane pas à la manière de Beckett romancier, il ne fait pas appel à la farce, mais, dans des passages franchement comiques, ou qui se veulent tels (explications de Wallas qui cherche son chemin, épisode de Faubius, interview de Mme Smite, et cætera), ainsi que l'agencement franchement fantastique de la succession des événements, il fait preuve d'un sens d'humour à froid.

L'ironie n'est pas le seul procédé qui vise à neutraliser le sens tragique du roman. C'est peut-être celui qui domine dans les *Gommes,* mais on en discerne d'autres, appelés à jouer un rôle plus décisif dans les ouvrages postérieurs. On peut notamment mentionner la dé-tragification par le détachement, qui se rattache au refus de tout engagement, politique ou éthique, proclamé souvent par Robbe-Grillet dans ses polémiques avec ses critiques. Parmi les péripéties innombrables de l'intrigue des *Gommes,* un épisode seulement semble contenir une charge morale, suggérer un jugement de valeur, insinuer la réprobation de la part de l'auteur: les activités de « faiseur d'anges » que Wallas soupçonne dans la clinique du Dr Juard. Il s'agit au reste d'un détail sans influence sur la tonalité du roman. En revanche, les actes et les projets significatifs, donc ceux qui engagent les protagonistes dans des situations d'où aurait pu jaillir le sentiment tragique si le romancier avait choisi de leur donner un éclairage dramatique, mettant en évidence la cruauté d'une fatalité qui contrecarre les aspirations humaines et la souffrance qui en résulte, ou insistant sur l'horreur des crimes commis par les personnages et sur le châtiment que le sort leur réserve — ces actes et ces projets sont peints d'une manière on ne peut plus neutre, au moyen d'un langage dépouillé de tension et d'émotion, de sorte qu'ils paraissent aller de soi et que leurs conséquences les plus catastrophiques semblent réduites à une expression naturelle du quotidien. Personne ne fonde de grands espoirs sur la mission de Wallas, personne n'est déçu lorsqu'il échoue. Quand il tue Dupont, rien de plus grave ne l'attend qu'une réprimande de son chef; lui-même, enfin, n'éprouve qu'un sentiment de lassitude et, paradoxalement, de soulagement, comme un acteur qui arrive au bout de son rôle. Bref, il n'y a ni grandeur du projet, ni conflit intérieur, ni affres de la culpabilité, ni horreur de la rétribution. Bien mieux, l'idée même d'une responsabilité morale, impliquant un péché et, plus spécifiquement, la *hubris,* fait totalement défaut. Dans ce sens, malgré leur sujet et une division artificielle de l'action en cinq actes, malgré l'unité du temps et de lieu, malgré des allusions telles que: « Quand tout est prêt, la lumière s'allume » (*G,* p. 1), les *Gommes* récusent le fondement de la tragédie classique. L'opposition entre l'individu conscient et le monde autour de lui, bien que reprise en profondeur par de nombreux échos intérieurs, ne surpasse à aucun moment le plan des contingences, des projets à portée limitée, des impulsions velléitaires qui, tout compte fait, ne s'élèvent guère à un niveau dramatique. Parce que les actions humaines s'effectuent dans l'absence du sentiment moral et parce que la machinerie universelle est irréductible par définition à un jugement de valeur, les rapports réciproques de ces deux domaines, même lorsqu'ils prennent la forme d'une fatalité à longue échéance, ne peuvent être, eux non plus, ramenés à des notions de bien ou de mal, d'harmonie rassurante ou de discordance tragique. L'altérité de l'homme et du monde se dégage dans toute son austérité, sans atténuation par le truchement d'une tragédie « humaniste ».

Les *Gommes,* premier roman, comportent ainsi une vision du monde dont les lignes principales sont soulignées par le romancier lui-même, très visiblement, au moyen d'illustrations allégoriques ou de digressions didactiques, comme s'il doutait encore de son art et de sa capacité de faire vivre des idées et des sentiments par la seule force de l'invention romanesque. Dans les ouvrages ultérieurs, les explications et les commentaires se feront plus rares, sans jamais disparaître, et l'évocation du contraste entre l'homme et l'univers émanera davantage de la substance même de l'œuvre, de sa structure, de l'écriture. Le cas du *Voyeur* est symptomatique à cet égard.

CHAPITRE III

« LE VOYEUR » (1955)

Peu de temps après sa publication, le *Voyeur* a fait objet d'une véritable « querelle » littéraire. Depuis lors, des interprétations diverses continuent à donner des significations contradictoires au dessein de ce roman. Illustration d'un cas psychopathologique selon M. Morrissette, ou du « petit mal » selon Mme Weil-Malherbe, il viserait surtout à mettre en valeur « le creux au cœur de la réalité » d'après l'analyse de Mme Bernal, alors que pour Roland Barthes il s'agirait avant tout de la primauté du regard et, pour d'autres critiques, d'un manifeste de l'immoralité (Emile Henriot) ou d'une négation absolue (Maurice Blanchot) [5]. On ne s'accorde même pas sur le sens du mot « voyeur », chacun contribuant son idée sur ce sujet, portant son choix tour à tour sur Mathias, sur Julien, ou sur plusieurs personnages à la fois. Il semble pourtant que la plupart de ces thèses, sauf les plus extrêmes, se complètent et se concilient dans le cadre de la vision du monde découverte dans les *Gommes* et reprise, sur un ton plus discret, dans le deuxième roman de Robbe-Grillet.

Cette fois-ci, en effet, point d'épigraphe ni de tableau « en abyme » mis en évidence et résumant avec obligeance la vision du monde. Surtout, pas de mythe-modèle détaillé et aisément reconnaissable, servant de justification littéraire au déroulement de la fatalité. A sa place, l'esquisse timide d'une fable un peu ambiguë et dont la fonction de repère est des plus incertaines: l'ancienne légende de l'île, racontée par un vieillard en commentaire du crime de Mathias. Son sens est clair, mais sa portée allégorique demande à être précisée.

> Une jeune vierge, chaque année au printemps, devait être précipitée du haut de la falaise pour apaiser le dieu des tempêtes et rendre la mer clémente aux voyageurs et aux marins. Jailli de l'écume, un monstre gigantesque au corps de serpent et à la gueule de chien dévorait vivante la victime, sous l'œil du sacrificateur (*V,* p. 221).

Robbe-Grillet prend soin de noter que Mathias ne se rappelle pas avoir entendu parler de cette légende pendant son enfance sur l'île. Si, d'une part, cette remarque tend à faire douter de l'authenticité des souvenirs de Mathias ou du caractère populaire de la légende et, de cette manière, contribue au flottement général de la réalité, il est surtout important de signaler qu'elle place, tant dans le système chronologique intérieur du protagoniste que dans la conscience du lecteur, l'expérience du mythe après l'accomplissement du crime. Dans les *Gommes,* dès les premières pages, des indications soigneusement disposées permettaient de retrouver le parallélisme de l'anecdote avec le mythe d'Œdipe conçu à l'extérieur du texte proprement dit comme une sorte de nécessité culturelle évidente pour un lecteur de culture moyenne. Dans le *Voyeur,* si on réduit la légende de l'île à ce que l'auteur s'est borné à en dire, et si l'on tient compte du moment où il la révèle, il ne peut être question qu'elle renvoie à pareille intervention explicite du destin. La scène du sacrifice légendaire peut servir à la scène vécue d'une image ritualisée à posteriori, d'un reflet découvert après coup, mais guère de modèle ou de schéma fatal qui commande à l'avance le comportement des personnages.

Ceci ne vide pourtant pas la question. Un lecteur un tant soit peu cultivé ne manquera pas d'apprécier la ressemblance entre cette légende et le mythe d'Andromède. On sait aussi que le thème de la vierge sacrifiée à un monstre marin ou fluvial, parfois à un dragon, existe dans un grand nombre de mythologies. Sans aller jusqu'à lui attribuer la fonction d'un archétype jungien, on reconnaît en elle une image assez universelle, correspondant à une préoccupation fondamentale de l'homme et représentant au niveau de la conscience populaire un stéréotype en partie érotique, comparable aux clichés plus décadents qu'on trouvera dans la *Maison de rendez-vous.* Dans ce sens dérivé, que ce soit par association culturelle ou par reconnaissance instinctive de son universalité, la légende de l'île joue le rôle d'un repère extérieur — mythe d'Andromède, thème de la victime expiatrice ou constante de l'imagination érotique — qui préexisterait, dans la conscience du lecteur, à l'aventure de Mathias et auquel celle-ci pourrait donc être rattachée en tant qu'une de ses manifestations particulières. Du coup, la fatalité serait rétablie.

Nous avons l'impression, cependant, que c'est là forcer les choses et accorder trop d'importance à une construction de l'esprit. La structure concrète du roman ne confirme pas cette leçon, s'en tient à l'utilisation de la légende comme simple reflet du crime, bref ne facilite pas une identification immédiate de la fatalité. Ici Robbe-Grillet semble observer de plus près ses propres théories littéraires et plus particulièrement son refus de la « contamination » culturelle du donné. S'il subit encore la fascination des mythes, s'il évoque encore des répondants mythiques à ses propres thèmes, il ne laisse plus, dans l'agencement de son œuvre, qu'une toute petite ouverture à ce point de vue privilégié qui permet de déchiffrer en clair sa vision du monde. A sa place, il dispose des signes neutres, des images intégrées à la réalité romanesque, des artifices d'écriture dont il s'agira de débrouiller patiemment les intentions et les effets.

La première phrase du roman donne un exemple de cette démarche et, en même temps, annonce la forme principale sous laquelle s'effectuera le rapport réciproque entre la fatalité et la liberté individuelle dans l'univers de Mathias: « C'était comme si personne n'avait entendu » (*V,* p. 9). L'ordre, le temps neutre, le livret qui prescrit le déroulement automatique et nécessaire des incidents sur la petite île, bref tout ce qui détermine un destin idéal s'accomplit en effet dans une grande indifférence. Qu'un voyageur débarque pour vendre des montres, qu'une fillette soit assassinée, que le voyageur reparte, cela fait partie du mouvement mécanique du sort et est accepté dans cet esprit: à l'exception des individus directement impliqués par les événements et, partant, absorbés par la désorganisation que leur liberté et leur imagination s'efforcent d'insérer dans l'ordonnance fatale des circonstances, les habitants de l'île ne perçoivent que les effets finals, historiques, objectifs, qui s'emboîtent dans la fatalité aussi automatiquement que la vraie mort du professeur Dupont dans les *Gommes*. Le meurtre de Jacqueline Leduc peut toucher le lecteur comme un cri d'horreur au centre du récit, parce que le lecteur du *Voyeur* se trouve à l'extérieur du monde romanesque, en observateur sensible à la fois aux manifestations de la liberté et de la fatalité; mais pour les consciences enfermées dans ce monde, ce crime ne présente guère plus d'importance que le cri de la sirène du bateau que, justement, « personne n'avait entendu »:

> La sirène émit un second sifflement, aigu et prolongé, suivi de trois coups rapides, d'une violence à crever les tympans — violence sans objet, qui demeura sans résultat. Pas plus que la première fois il n'y eut d'exclamation ou de mouvement de recul; sur les visages, pas un trait n'avait seulement tremblé (*V*, p. 9).

Cette nécessité du crime, sanctionnée par l'attitude fataliste et indifférente des habitants de l'île, Robbe-Grillet l'établit d'abord au moyen d'une détermination rigoureuse de l'acte criminel par une chaîne d'images qui, *mutatis mutandis,* composent un système aussi inflexible que les épisodes d'un mythe. Aux allusions à Œdipe, plantées dans les *Gsmmes* de manière de servir de guides à la fatalité dans le premier roman, se substituent des représentations d'objets ou de gestes, réelles ou imaginaires, arrangées en ordre de violence croissante et culminant fatalement dans le viol et l'assassinat de la fillette: ce sont bouts de ficelle, paquets de cigarettes, attitudes menaçantes entrevues dans une fenêtre, silhouettes de petites filles cambrées dans des poses d'abandon, coupure de faits divers, affiche de cinéma, souvenirs d'enfance, etc. Une fois le crime commis, on découvre que ce désordre apparent d'éléments disparates cachait l'engrenage d'une machine infernale; le retour de certaines images plus tard, l'apparition d'autres de la même veine, telle la grenouille écartelée, prolongent dans un miroir grossissant cette détermination d'un acte nécessaire. Mathias, vu sous cet angle, est conduit en pion, d'indice en indice, comme Wallas-Œdipe, le long d'un parcours dont toutes les stations ont été prescrites, et qui le mène fatalement à accomplir un destin où il trouvera un moment sa liberté.

On peut s'étonner de ce rôle apparent d'instruments de la fatalité que le roman fait jouer aux images d'objets et de gestes neutres. C'est un peu pour en nier le caractère déterministe que Ben Stolzfus, dans un ouvrage inspiré par ailleurs par certains accents éthiques présents dans les essais de Robbe-Grillet, propose une théorie assez hardie et surprenante elle-même, qui cherche à restituer aux choses toute leur innocence théorique [6]. Selon lui, tout se ramène au problème de la responsabilité morale de Mathias. Mathias, à l'en croire, serait doublement coupable; d'abord, en tout état de cause, parce qu'il a commis un acte répréhensible, mais surtout parce qu'il y a été conduit par des projections volontaires d'un sens morbide sur des objets qui n'en avaient pas. Rien ne le forçait à le faire; c'est en toute liberté, tirant de son propre arbitre les raisons de cette activité fabulatrice, qu'il choisissait ainsi la voie de l'erreur, la complicité tragique avec le monde. La responsabilité du crime et de ses circonstances est ainsi rejetée sur le personnage, accusé et condamné parce qu'il ne comprend pas que les choses ne peuvent pas avoir des significations. Cette interprétation, qui rejette toute idée de fatalité et introduit à sa place une perspective morale dans l'univers romanesque de Robbe-Grillet, semble peu probante à cause de ce jugement de valeur. On voit mal un Mathias conçu comme un exemple affreux de ce qu'il ne faut pas faire, comme un prototype de l'homme induit en erreur par l'humanisme traditionnel. L'erreur de M. Stolzfus provient probablement de ce qu'il ne distingue pas entre la causalité psychologique et la causalité littéraire. Certes, Mathias est à l'origine des significations érotiques des objets qu'il aperçoit; mais ces objets ont été choisis soigneusement parce qu'ils étaient les seuls qui se prêtaient à ces aberrations de l'imagination; et leur présence révèle la volonté de l'auteur de voir se produire la stimulation de l'obsession. Certes, les objets sont neutres, mais leur disposition méthodique sur le chemin du voyageur n'est due ni au hasard ni au choix du regard qui les rencontre; seul un dessein fatal explique qu'ils s'y trouvent distribués d'une manière à porter l'obsédé au paroxysme de sa passion. D'ailleurs, Mathias lui-même semble peu qualifié pour remplir la fonction d'un homme libre qu'on pourrait juger sur ses options: cas psycho-pathologique, les impulsions qui le portent à tirer des phantasmes sexuels du spectacle de certains objets et à se livrer au sadisme sont donnés à l'avance au même titre que l'arrangement du décor qui les suscite. Avec un résultat opposé, la progression de Mathias dans la construction romanesque de Robbe-Grillet présente le même mouvement systématique que l'expérience du fidèle qui, dans telle église ancienne, est renvoyé de statue en statue de manière à accomplir un pélerinage vers la grâce.

Mais alors, faut-il plutôt voir en Mathias une victime de la fatalité, acceptant silencieusement le destin que lui réserve le concours des circonstances? Ce serait le ramener à la condition des personnages secondaires qui ne s'éveillent jamais à la vie consciente, qui n'expriment jamais leur liberté humaine. En réalité, Mathias est bien un héros dans le sens spécial que ce mot prend dans les romans de Robbe-Grillet, c'est-à-dire un homme déchiré par une dualité: d'une part, à l'échéance du temps neutre, il participe à l'accomplissement de la nécessité; de l'autre, de sa subjectivité il tire l'affirmation d'une liberté dérisoire mais illimitée sur le plan de l'imagination. Si Mathias poursuit un destin, il n'en est pas plus conscient que Wallas. Quand il se complait à imaginer des scènes sanglantes, il ne se doute pas où cette fantaisie finira par le mener. Alors même qu'il effectue enfin l'acte prescrit qui l'emprisonne dans l'ordre des choses, il se rebelle contre l'emprise de la nécessité et, refusant jusqu'à la reconnaissance du fait accompli, accumule fiévreusement des tentatives fantasques de donner un autre sens aux événements passés, d'ériger des emplois du temps contradictoires et confus, bref d'introduire un désordre personnel dans l'ordonnance idéale.

Au lieu de le définir en fonction de la fatalité, on pourrait concevoir le roman comme une mise en œuvre de cette activité indisciplinée qui s'insurge contre la fatalité. On en distingue trois stades, mi-réels et mi-imaginaires, chacun marqué d'une intention et d'un caractère différents, mais montrant tous les trois un même flottement irrésolu. La première séquence, avant le meurtre, est dominée par la vente des montres: avant même d'entreprendre à bicyclette son périple de l'île, le voyageur imagine des ventes idéales ou des ventes ratées, établit un horaire mathématique et ridicule qui permettrait de liquider tout le stock, prépare un itinéraire parfait, bref s'efforce d'imposer son plan subjectif au déroulement des événements. Aucune de ces visions ne se réalise. La réalité y fera obstacle. La deuxième séquence est centrée sur les alibis que Mathias échafaude avec frénésie pour combler le temps neutre de l'assassinat. Ici encore, la désorganisation prévaut, tant par les contradictions entre les versions successives que par la modification de la réalité que chacune d'elles propose, sans réussir à l'imposer. La troisième séquence décrit les précautions prises par le voyageur pour détourner de lui les soupçons éventuels des habitants de l'île. Une fois de plus il s'agit d'une activité inutile, s'effectuant en marge de l'ordre, car personne ne s'intéresse à découvrir le coupable. Les craintes, les souvenirs, les expériences psychiques de Mathias durant cette troisième partie du roman passent d'ailleurs insensiblement d'une excitation intérieure à l'apaisement dans l'indifférence.

Ces efforts pathétiques et impuissants, le personnage prend parfois conscience de leur caractère dérisoire et mesure, par instants, la distance qui les sépare de la réalité objective. A ces moments-là, comme l'acteur imaginaire des *Gommes*, Mathias est prêt à « laisser tomber », en proie au doute, ne se retrouvant plus dans la confusion qu'il a créée lui-même. Dès que la cérébration s'arrête à la faveur d'une minute de répit ou de repos, par exemple chez Jean Robin dans l'après-midi qui suit le crime, il éprouve une « impression de désemparement mêlé de lassitude » (*V*, p. 143), se rend compte de l'incompatibilité entre le domaine objectif (ou « objectal ») et son petit univers subjectif, d'un manque de rapport entre lui et le monde, de l'impossibilité de satisfaire une aspiration vers une permanence et l'ordre qui pourraient justifier ses invention:

> Il chercha quelque chose à quoi se raccrocher, mais il ne trouva que des lambeaux. Il se demanda ce qu'il faisait là. Il se demanda ce qu'il avait fait depuis une heure et plus (...)
> Que faisait-il, en somme, depuis le matin? Tout ce temps lui parut long, incertain, mal rempli — non pas tant peut-être à cause du petit nombre d'articles vendus, que par la suite de la façon hasardeuse et sans rigueur dont s'étaient déroulées ces ventes — comme d'ailleurs les échecs, ou même les trajets intercalaires (...).
> Autour de lui, l'état des choses ne fournissait aucun repère (*V*, pp. 143-144).

Cette désorientation répète, en l'amplifiant, une intuition similaire de la vanité de ses projets imaginaires que Mathias éprouve durant les premières minutes de son arrivée dans l'île. Se rendant compte, dans un bref éclair de lucidité, que ses prévisions les plus optimistes, et, partant, les plus fantastiques, réduisant à une minute la durée de l'entrevue avec chaque client, butent sur l'irréductibilité du temps neutre et ne pourront jamais forcer leur image de l'avenir sur le déroulement des événements futurs, il admet honnêtement qu'« autant valait abandonner tout de suite » (*V*, p. 52); et, coïncidence significative, aussitôt, son regard est frappé par la surface solide des façades, rappel d'un ordre parfait, qui n'offrent « aucune prise où s'accrocher » (*V*, p. 53).

Il s'agit, dans ce cas, de sentiments pénibles, reflets d'un contact angoissant avec le monde. Mais, malgré l'insistance sur le désarroi qui peut en découler pour l'individu et qui culmine dans l'évanouissement de Mathias, incapable de supporter plus longtemps la tension entre son imagination et la réalité, le rapport d'altérité entre l'ordre des choses et le désordre des intentions humaines demeure dans l'ensemble aussi contingent dans le *Voyeur* qu'il l'était dans les *Gommes*. Pour éviter sa transmutation en tragédie, Robbe-Grillet a encore recours à l'ironie, comme dans la longue description des calculs ridicules de Mathias; mais cet humour passe davantage au noir, rappelant les notes grinçantes de Molloy en train de compter ses pierres à sucer. Par ailleurs, si l'on met entre parenthèses ses obsessions et les extrémités auxquelles elles le portent, Mathias ne déroge guère au type de personnage robbegrilletien qui manque essentiellement d'envergure: petit homme affairé, fondamentalement médiocre, on ne le prend pas au sérieux, et son sort demeure assez indifférent. Il ne s'agit même pas d'un sort tragique. La même absence de notion de responsabilité et de châtiment que dans les *Gommes* évoque ici une semblable indifférence de la fatalité envers les actes humains: que ceux-ci s'insurgent contre l'ordre ou y manquent temporairement, qu'ils retombent dans l'ordre ou n'en sortent jamais, n'affecte en rien le caractère contingent de la présence de l'homme au monde. Si le crime de Mathias reste impuni, il ne faut pas y chercher un exemple de l'immoralité de nos mœurs, ni une preuve de l'amoralité de l'auteur, ni une protestation contre la sentimentalité traditionnelle, mais, plutôt, la manifestation d'une démarche romanesque qui se garde de la « tragification » des rapports entre la fatalité et la liberté. Ces rapports se seraient établis tout autant clairement si Mathias avait expié son crime — il suffisait que la nécessité, telle que Robbe-Grillet la crée, assurât un tel dénouement au déroulement de l'intrigue — mais il y aurait eu danger que le lecteur atrtibuât un sens tragique à l'histoire d'homme qui se débat contre son destin, et perd.

Identique dans ses grandes lignes, la vision du monde du *Voyeur* montre pourtant, par rapport aux *Gommes,* un léger déplacement du cadrage de son expression romanesque. En effet, par l'importance du rôle qu'elle joue dans le roman, l'intervention de l'élément humain relègue à l'arrière-plan les manifestations de l'ordre neutre. Dans le premier roman, Robbe-Grillet maintenait un certain équilibre artistique entre l'attention accordée aux effets de la liberté, c'est-à-dire au contenu fantasque des vingt-quatre heures en trop, et l'intérêt présenté par les formes sous lesquelles apparaît la fatalité, c'est-à-dire à la fois le schéma d'un destin s'accomplissant par dessus ces vingt-quatre heures et la mise en œuvre systématique de la transposition de la légende d'Œdipe. Le lecteur était sollicité parallèlement par le spectacle de l'activité

incohérente des personnages et par l'évidence structurelle et allégorique
d'un ordre qui finissait par prévaloir. Dans le *Voyeur,* en revanche,
on constate que le cadrage favorise l'expression de la liberté en centrant
l'attention sur le monde mental de Mathias et, par conséquent, sur l'aspect
« incompréhensible et monstrueux » qu'y empruntent les événements
neutres. La fatalité donne bien la signification ultime et objective de
cette histoire sordide, mais, en tant que matériau littéraire, son poids
est léger. La puissance dramatique du roman ne réside pas dans le crime
en soi, au reste passé sous silence par le romancier (alors qu'il s'attardait
sur les circonstances du « double » meurtre de Dupont ou sur les indices
renvoyant aux épisodes du mythe d'Œdipe), mais dans l'agitation de
Mathias : ses impulsions, ses visions, ses anticipations, ses souvenirs,
ses rêves, ses discours incohérents, ses reconstitutions imaginaires
du temps, ses pérégrinations, ses angoisses, bref tout ce qui témoigne
du flottement d'intentions imputé à l'homme. Sur la foi de cette importance reconnue à la perspective humaine on pourrait presque croire
à « l'humanisme » du *Voyeur.*

C'est aussi par une fissure humaine dans l'ordonnance des événements nécessaires que s'insinue le brouillard du mystère qui estompe
les détails de la réalité. La critique a fait grand cas de l'équivoque qui
s'attache au meurtre de Jacqueline Leduc. Il est vrai qu'aucun renseignement définitif ne rend compte de cet assassinat et que, par conséquent, on
ne peut réfuter, avec certitude et preuves à appui, les diverses hypothèses
selon lesquelles la fillette serait tombée à l'eau par accident ou quelqu'un
d'autre que Mathias — Jean Robin, Julien Marek, voire un inconnu —
l'y aurait précipitée. Le sentiment de culpabilité du voyageur, qui est
indiscutable, et sa reconstitution de la scène du crime, peut-être imaginaire, pourraient être mis sur le compte d'une mythomanie pathologique
déclenchée par la vision de l'accident ou des sévices infligés à la victime.
Dans ce cas, le sens du mot voyeur s'appliquerait correctement à Mathias.
Il semble pourtant que cette interprétation aille à l'encontre des données
structurelles du roman et procède d'une méfiance excessive à l'égard
des intentions du romancier. En effet, comme Bruce Morrissette l'a
bien montré, le *Voyeur* est organisé selon deux perspectives : celle
de l'auteur, plus ou moins objective, qui fournit un certain nombre de
pièces du puzzle mais laisse dans l'ombre les rapports entre eux et,
surtout, les circonstances exactes de l'épisode tragique, et celle de
Mathias qui, justement, livre tout ce que l'on sait de définitif au sujet
de cet épisode. Vouloir mettre en doute la valeur de ce témoignage,
en lui attribuant à priori une distorsion pathologique, c'est impliquer
l'existence d'une réalité extérieure aux données du roman et que Robbe-
Grillet s'efforcerait de brouiller à dessein en choisissant une perspective
déformante. Evidemment, une telle attitude ne se concilie guère avec
la démarche bien connue de l'auteur qui ne conçoit de réel que ce que
l'œuvre en fait voir ou deviner. Toute subjective qu'elle soit, il convient
d'admettre que la conscience de Mathias constitue la seule réflexion
valable, la seule réflexion sûre, voire la seule réflexion tout court, de
l'heure omise dans la narration objective. Or, l'ensemble des images,
concrètes ou imaginaires, qui composent cette vision, ainsi que tout ce
qu'on sait du comportement du voyageur, indiquent qu'il a bien tué

Jacqueline Leduc et qu'il s'est livré sur elle à des actes de violence érotique. Sinon, à quoi rimerait son attitude après cet épisode central? L'invention difficile des alibis, l'élimination des indices compromettants, la logique des préoccupations de Mathias, le caractère de ses souvenirs et de ses visions s'emboîtent trop bien dans le système des indications objectives du crime pour refléter une culpabilité purement imaginaire. Toute la structure du roman perdrait sa cohérence et sa raison d'être si le meurtre n'était qu'un phantasme d'une imagination malade: au lieu d'une dualité de perspectives, il aurait fallu un point de vue unique, comme dans la *Jalousie*, et qui créerait un monde franchement irréel. L'action réciproque des éléments objectifs et des éléments imaginaires dans le *Voyeur* forme un ensemble intégré, rationnel, et peu suspect de tourner sur une illusion, de proposer une plaisanterie malsaine, de chercher à mystifier le lecteur. Du reste, le lecteur moyen n'éprouve guère de doutes à ce sujet: pour lui, comme pour Mathias, le voyageur est bel et bien coupable du meurtre. Son crime, en tant que donnée réelle, se situe sur le même plan d'événements neutres que ses autres actions objectives, décrites de l'extérieur comme parts de la nécessité. A moins de mettre en doute toute la réalité du roman, il convient donc de tenir ce fait pour acquis.

D'où vient, dès lors, l'impression d'ambiguïté notée par les critiques? Il faut sans doute l'attribuer à la structure du roman qui entraîne et justifie un flottement inconfortable des faits objectifs. Il suffit de se poser la question: pourquoi, en dépit de la certitude de sa réalité, le meurtre de Jacqueline Leduc demeure mystérieux? Il semble bien qu'il faille y répondre: parce qu'il est principalement rapporté par la conscience tourmentée et incertaine de Mathias. Le choix de cette perspective humaine, donc faillible, comme unique ouverture sur le crime constitue une cause suffisante de la présence d'ambiguïté. L'acte en lui-même n'est pas équivoque, mais sa relation et son explication le deviennent parce qu'elles relèvent non plus de la fatalité mais de la liberté incontrôlable de l'homme. Mathias en tant que témoin, c'est la désorganisation frénétique au sein de l'univers; sa vision de toute sa visite de l'île, mais surtout son expérience intérieure de l'heure fatidique, participent à ce désordre et à cette frénésie, et légitiment l'introduction du mystère dans le roman. Saurait-on mieux ce qui se passe dans le *Bruit et la Fureur* si Faulkner s'en était tenu à la seule perspective de Benjy? Ici, les circonstances du crime resteront floues et on ne saura pas exactement comment il a été commis, malgré une esquisse de reconstitution imaginaire. Mathias lui-même restera une boîte à surprises, tout en surface, malgré la prolifération de ses images mentales. Le livre terminé, on ne sera guère plus avancé dans la connaissance de ses ressorts psychologiques. Le nombre d'explications proposées par les critiques témoigne de la nature insaisissable de son caractère et, partant, des raisons de son acte. Bref, non seulement le crime, mais tout ce qui est vu, entendu, interprété et imaginé par le voyageur, sans qu'on puisse au reste départager aisément ces différentes sources du donné, plonge dans l'ambiguïté, entraînant de larges pans de la réalité. Ce qui subsiste de certain, on le doit aux passages présentés dans la perspective objective et impersonnelle de l'auteur. C'est dans ce sens surtout que le *Voyeur* montre

27

un perfectionnement de la technique des *Gommes,* puisque la présence du mystère, imputée à l'activité humaine, se trouve mieux intégrée à la construction du roman où la dualité des points de vue correspond en gros à la dualité de la fatalité et de la liberté.

CHAPITRE IV

« LA JALOUSIE » (1957)

Si, des *Gommes* au *Voyeur,* il était relativement aisé d'établir une continuité de vision, les deux romans se servant des mêmes techniques romanesques — bien que plus accusées et plus systématiques dans le second — la *Jalousie* a recours à certains procédés nouveaux qui exigent qu'on reprenne à zéro toute la question. En effet, il n'est pas besoin de démontrer longuement que, même sans rupture avec les sources profondes de l'inspiration, il pourrait suffire de désintégrer le temps, d'abandonner le schéma de l'intrigue linéaire, et de réduire les points de vue à une perspective subjective unique, pour que s'effondre le système de références anecdotiques, temporelles ou structurelles, au moyen duquel on a pu distinguer la dualité entre la fatalité et la liberté. Or, dans la *Jalousie,* on chercherait en vain une histoire susceptible d'interprétations fatalistes, une durée qui imposerait des significations nécessaires, un jeu d'angles de vision menant à des contrastes entre la réalité objective et imaginaire. On peut même se demander si le principe d'une dualité fondamentale entre l'homme et le monde est concevable dans ces nouvelles conditions et si le changement de l'optique ne s'accompagne pas d'une évolution générale de la vision romanesque. Certains critiques ont bien cru apercevoir le commencement d'une seconde « période » de Robbe-Grillet dans la *Jalousie.* Il semble donc utile, pour clarifier ces doutes, d'en appeler tout de suite au texte, et de voir en premier lieu, comme nous l'avons fait pour les *Gommes,* si le roman ne contient pas d'indications plus ou moins explicites, mises soigneusement en évidence, et portant sur la manière d'envisager la présence de l'homme dans le monde.

Il faut reconnaître que la franchise, un peu naïve, du premier roman fait défaut, à cet égard, dans la *Jalousie.* Le temps des manifestes romanesques en clair est fini. Même lorsqu'il entreprend de livrer le sens caché de ses œuvres, Robbe-Grillet le fait en langage chiffré, en images, dont il n'est pas toujours facile de démêler la signification. Mais enfin, ces indications dissimulées, on peut les trouver si on les cherche, et leur enseignement permet de mieux comprendre les intentions de l'ouvrage.

La première de ces clés est fournie par la réflexion « en abyme » sur le roman africain lu et commenté par A... et Franck. Deux passages sont significatifs. A un moment, le mari-caméra rapporte une discussion durant laquelle sa femme et son ami, qui sont arrivés au bout de l'histoire,

29

imaginent des variantes différentes de l'intrigue du roman; toutefois, toutes ces fictions sont balayées par une remarque attribuée indirectement à Franck: « Rien ne sert de faire des suppositions contraires, puisque les choses sont ce qu'elles sont: on ne change rien à la réalité » (*J*, p. 83). Il s'agit bien ici d'une profession de foi fataliste, du moins en ce qui concerne le destin d'une œuvre littéraire. Le roman africain, transposé en la *Jalousie,* sert ainsi de prétexte à la proclamation du règne de la nécessité, de ce qui est acquis et à quoi on ne peut rien changer.

D'autre part, vers la fin du livre, le roman imaginaire revient sur le tapis, et sa discussion est suivie par un paragraphe à première vue incompréhensible:

> Le personnage principal du livre est un fonctionnaire des douanes. Le personnage n'est pas un fonctionnaire, mais un employé supérieur d'une vieille compagnie commerciale. Les affaires de cette compagnie sont mauvaises, elles évoluent rapidement vers l'escroquerie. Les affaires de la compagnie sont très bonnes. Le personnage principal — apprend-on — est malhonnête. Il est honnête, il essaie de rétablir une situation compromise par son prédécesseur, mort dans un accident de voiture. Mais il n'a pas eu de prédécesseur, car la compagnie est de fondation toute récente; et ce n'était pas un accident. Il est d'ailleurs question d'un navire (un grand navire blanc) et non d'une voiture *(J*, p. 216).

Ce deuxième passage s'ouvre par une série d'oppositions simples à deux termes, évoquant une négation successive de divers éléments du roman africain. Toutefois, après la mention d'un accident de voiture, ce procédé assez systématique se dérègle tout à coup, s'emballe et s'embrouille dans une contradiction en trois parties qui s'excluent mutuellement; la négation du prédécesseur rend caduque celle de l'accident qui rend caduque celle de la voiture. Le moment où se produit ce redoublement du caractère irrationnel du passage et les trois nouveaux éléments introduits à cette occasion — voiture, accident, navire — permettent de clarifier un peu mieux l'intention de l'auteur. En effet, à la différence des autres données du roman africain, énumérées plus haut, ils renvoient directement à des épisodes significatifs de la *Jalousie* et, plus spécifiquement, aux sujets de préoccupation du mari jaloux: le départ en voiture de A... et de Franck, leur accident suspect, l'image d'un navire blanc, la nuit, durant leur absence. On se rend compte que l'intensification de la désorganisation de cette partie du paragraphe exprime une soudaine explosion affective du protagoniste qui ne peut s'empêcher de mêler ses obsessions personnelles à sa réflexion sur le roman africain. L'émotion le conduit à projeter un sens individuel et confus sur les « choses qui ne sont que ce qu'elles sont » et à détruire l'ordre logique par un triple système d'affirmations incompatibles.

Le début du paragraphe n'allait pas si loin. Sa conclusion indique néanmoins qu'il représente tout entier une réaction du mari et non un commentaire de Franck, de A... ou, ce qui serait en tout cas improbable, de l'auteur. Sa signification générale peut être interprétée de diverses manières. Selon M. Morrissette, il s'agirait d'une manifestation du désarroi et de l'incertitude du personnage, qui ne sait plus à quoi croire et entrevoit dans toutes les choses la possibilité d'au moins deux vérités. Il se pourrait tout aussi bien que cette incohérence exprimât simplement l'agitation et l'excitation d'un homme qui, à bout de nerfs, déchire en pensée un livre détesté. Quoi qu'il en soit, il convient surtout de noter que cette intervention subjective du mari, donc une activité humaine venue de l'extérieur par rapport au roman africain, a pour effet d'en modifier fondamentalement les données, d'en faire une chose pliable à la volonté de l'homme. On se souvient que, dans la *Nausée*, Sartre soustrayait à l'action de la liberté humaine les œuvres d'art dont l'ordonnance interne assurait le respect de leur intégrité. Robbe-Grillet suggère, au contraire, que l'intention humaine peut s'attaquer avec succès à leur signification.

L'ensemble du passage, à la fois par la projection du sens personnel sur des éléments d'un roman objectif et par l'atteinte que l'interprétation personnelle peut porter à l'intégrité de ce roman, contredit visiblement les conclusions du premier passage où les variantes de ce même roman, proposées par A... et par Franck, étaient écartées parce qu'elles portaient atteinte à l'immutabilité du réel, fût-il œuvre de fiction. Et pourtant, c'est dans cette contradiction que se trouve la source et l'explication de la dualité fondamentale, de la tension permanente qui marquent la vision du monde dans la *Jalousie*. Elle implique, en effet, la co-existence de deux manières opposées d'aborder le problème des rapports entre l'homme et l'univers, selon qu'on se place dans une perspective objective ou subjective. La première implique l'existence d'une réalité acquise, correspondant à un ordre nécessaire des choses auquel on ne peut rien changer; la seconde reconnaît l'évidence de l'activité destructrice de l'homme qui, dans sa conscience, disloque cet ordre ou cherche à le faire. Objectivement, l'ordre prévaut, car la réalité du roman africain ne s'altère pas à la suite de l'opération de démolition à laquelle se livre le mari; et ceci présuppose une certaine fatalité. Subjectivement, cependant, le personnage s'affirme en essayant de projeter un sens individuel sur cette fatalité et, ce faisant, proclame sa liberté. Le conflit qui en découle constitue le ressort principal du roman.

En gros, ce point de vue ne diffère guère de celui que nous avons découvert dans les deux premiers romans de Robbe-Grillet. Mais, comme nous l'avons noté plus haut, il se complique du fait que, pour la première fois, l'œuvre tout entière, soit à la fois les éléments objectifs et les éléments subjectifs, les données de la fatalité et les caprices de la liberté, est vue dans la perspective d'un personnage unique qui, inévitablement, est porté à modifier l'image de la réalité. Dans l'absence de renseignements fournis par un auteur « neutre », faute de recoupements possibles au moyen d'autres témoignages, on pourrait croire que le personnage-caméra, à la fois juge et partie, ne livre qu'une pure subjectivité, qu'une liberté échevelée d'où toute notion d'ordre préétabli serait retranchée. Ne force-t-on pas le texte en voulant y voir, malgré cette réduction absolue à l'incohérence de la vision humaine, une confrontation entre les significations imaginaires que celle-ci propose et un donné neutre dont on n'a pas une connaissance directe? C'est ici qu'intervient la deuxième clé du roman. En effet, l'enregistrement visuel et auditif qui fait le sujet de la *Jalousie* soulève les mêmes questions et relève clairement du même désordre incompréhensible que le chant du chauffeur indigène placé « en abyme » vers le milieu du récit:

A cause du caractère particulier de ce genre de mélodies, il est difficile de déterminer si le chant s'est interrompu pour une raison fortuite (...) ou bien si l'air trouvait là sa fin naturelle.

De même, lorsqu'il recommence, c'est aussi subit, aussi abrupt, sur des notes qui ne paraissaient guère constituer un début, ni une reprise.

A d'autres endroits, en revanche, quelque chose semble en train de se terminer; tout l'indique: une retombée progressive, le calme retrouvé, le sentiment que plus rien ne reste à dire; mais après la note qui devait être la dernière en vient une suivante, sans la moindre solution de continuité, avec la même aisance, puis une autre, et d'autres à la suite, et l'auditeur se croit transporté en plein cœur du poème... quand, là, tout s'arrête, sans avoir prévenu (...).

Sans doute est-ce toujours le même poème qui se continue. Si parfois les thèmes s'estompent, c'est pour revenir un peu plus tard, affermis, à peu de choses près identiques. Cependant ces répétitions, ces infimes variantes, ces coupures, ces retours en arrière, peuvent donner lieu à des modifications — bien qu'à peine sensibles — entraînant à la longue fort loin du point de départ (J, pp. 100-101.)

Or, qu'en est-il au juste du caractère de cet air? La description de l'auteur, qui perce ici sous la conscience du personnage, donne une impression très détaillée et suggestive de l'apparence incohérente de la structure du chant, mais laisse dans l'équivoque la question essentielle: ces variations, ces retours, ces interruptions et recommencements inattendus, proviennent-ils de la libre inspiration du chanteur, comme pourrait le croire un auditeur peu initié aux lois de ce genre musical, et donc expriment-ils une liberté qui se manifeste par le désordre, ou, au contraire, obéissent-ils à une ordonnance idéale qui règle strictement l'apparente invention de l'exécutant? Robbe-Grillet ne se prononce pas explicitement sur ce sujet (on mesure la distance couverte depuis les *Gommes* !), mais l'accumulation des termes impliquant une apparence — paraissent, semble, croit, sans doute — et la suggestion d'un objectif final à quoi le chant vise indiquent qu'il faut s'arrêter à la seconde hypothèse. Par analogie, on peut postuler que la *Jalousie*, type de roman un peu déroutant, livre au lecteur novice un semblant de subjectivité en plein délire — soit les divagations incontrôlables d'un jaloux qui interprète tout à travers sa passion — alors qu'elle obéit en réalité à un schéma structurel qui fait état d'une nécessité.

Vu sous cet angle, le roman — le plus austère peut-être que Robbe-Grillet ait écrit — peut se réduire à la tension entre l'imagination d'un individu et la résistance des événements neutres sur lesquels il essaie d'imposer des significations. Il ne pourra jamais en arrêter un sens définitif parce que ses interprétations, étant humaines, s'effectuent nécessairement dans le désordre, dans l'incertitude, dans une conscience brouillonne où l'illusoire se mêle au réel. C'est en vain que le mari jaloux s'applique, au moyen de reconstructions, souvenirs, hypothèses, visions, et cætera, bref tout l'arsenal familier d'intentions flottantes de l'homme, à établir la vérité au sujet des relations entre sa femme et son ami. Encore que « s'appliquer » ne soit sans doute pas le terme juste. Il s'agit d'une obsession erratique, avec des hauts et des bas, velléitaire plus que volontaire, instinctive parfois, dans le cadre de laquelle « la recherche du temps perdu » ne dépend pas de stimulants extérieurs mais des mouvements fortuits et obscurs de l'émotion, de l'imagination, à la rigueur du regard. Ses images principales, recréées ou inventées, répétées indéfiniment au gré des accès de la passion, ne sont même pas identiques à elles-mêmes ; et si ces modifications se légitiment par des poussées soudaines de la jalousie, leur nombre et leur désorganisation temporelle n'en composent pas moins un effet chaotique. Le mari se débat ainsi dans un cauchemar « incompréhensible et monstrueux » dont il est seul responsable, mais dont il ne parvient pas à s'échapper. Car, et c'est là l'aspect central de sa situation, toute cette activité se produit sur un plan mental, sans contact, sans rapport avec la réalité ; quelle que soit sa violence, elle reste sans effet sur l'ordre des choses ; et elle s'éternise dans un présent sans bornes, vouée à l'impuissance, parce que les circonstances qui la fondent et dont elle cherche à comprendre le secret se situent sur un plan inaccessible. Le mari jaloux soupçonne une liaison coupable et, par le même mouvement, s'enferme dans ce soupçon sans plus vouloir (pouvoir ?) en sortir que Wallas de sa détection ou Mathias de sa vision du crime. La différence, c'est que dans les cas précédents, le lecteur savait plus ou moins à quoi s'en tenir à l'égard du schéma de la fatalité car, voyant les choses dans la perspective de l'auteur, il était à même d'en percevoir le plan objectif et nécessaire ; ici, il ne dispose d'autre point de vue que de celui du mari et, en conséquence, demeure dans la même ignorance que lui. Mais cette incertitude conjuguée n'implique nullement l'aveuglement, l'insensibilité, l'indifférence à la fatalité et, à plus forte raison, sa négation. L'ordre nécessaire des choses reste équivoque, mais se manifeste néanmoins par certains événements neutres, des choses et des gestes *là,* qui, dans leur fonction du donné, s'imposent au protagoniste et dont il ne parvient pas à entamer cette qualité malgré tous ses efforts. La fatalité, ou plus exactement les fragments de la fatalité qui surnagent comme la partie découverte d'un iceberg, ce sont en effet les quelques « pièces à évidence » que ni le lecteur, ni surtout le mari, ne peuvent récuser et qui reviennent systématiquement dans le roman : les visites fréquentes de Franck, l'entente entre Franck et A..., la main crispée de A... quand Franck tue le centipède, l'absence de A... partie en ville avec Franck, leur retour le lendemain. Voilà l'acquis, la réalité objective, opaque, résistante, contre laquelle bute l'imagination du personnage principal et qui ne se prête ni à la modification ni à l'interprétation. Tout le reste, donc la substance du roman, n'est que liberté dérisoire qui ne peut rien changer à la permanence de cette fatalité. Dans ce sens, la *Jalousie* est un roman vraiment gratuit, puisqu'elle propose une mise en œuvre romanesque d'une activité condamnée à la stérilité par sa nature même : purement intérieure, la jalousie du mari anonyme n'a même pas d'effets temporaires sur l'ordonnance du monde, ne peut même pas s'intercaler dans les interstices des structures nécessaires. Et pourtant, elle représente bien une forme de révolte.

La dualité fondamentale de la vision robbe-grilletienne survit ainsi à la réduction de la perspective à un personnage unique. D'une manière un peu différente, elle résiste aussi à l'absence d'une intrigue linéaire et trouve une expression compatible avec l'élimination du cadre temporel. En effet, si l'on fait abstraction du premier rapport de contingence entre le donné extérieur, à peine visible dans le roman, et une intériorité qui en fait tout l'intérêt, et si l'on accepte de jouer la partie proposée par l'auteur, donc de s'en tenir uniquement au témoignage subjectif du protagoniste, on découvre que l'incohérence de cette intériorité respecte en réalité une certaine loi universelle qui tend à organiser ses manifestations. Cette confrontation au deuxième degré entre la liberté individuelle et l'ordre absolu, entre l'activité indisciplinée et l'homme et le schéma idéal où elle se résout, s'exprime à travers et au moyen de la déchronologie radicale que Robbe-Grillet applique pour la première fois dans la *Jalousie*. A cet égard, il faut surtout noter que le traitement du temps laisse volontairement dans l'ambiguïté la question de savoir si les visions du mari jaloux se déroulent en l'espace de quelques semaines, de quelques jours, ou de quelques heures, comme certains critiques l'ont avancé; et si elles représentent une succession de réactions causées par une série d'événements bien distincts, ou, au contraire, si elles coexistent pêle-mêle dans la mémoire du personnage, qui les revit en une fois, en désordre, seule l'économie d'un récit exigeant qu'elles apparaissent à la queue leu-leu. La désorganisation temporelle ne permet pas de répondre dans un sens ou dans l'autre. De même, il semble assez inutile de s'interroger pour savoir si, toute chronologie objective mise à part, le contenu concret du roman présente un développement suivi du sentiment de jalousie: soupçons, paroxysme, apaisement. Bruce Morrissette a sans doute raison en suggérant qu'une telle impression se dégage à la lecture, mais Olga Bernal n'a pas tort non plus en niant qu'on puisse parler d'un début et d'une fin d'une intrigue qui visiblement suit une construction circulaire, postulant une éternelle reprise de ses thèmes. Il conviendrait plutôt de dire que les divers stages classiques de la jalousie se trouvent tous mentionnés dans le roman, mais que leur ordonnance idéale, correspondant à un ordre nécessaire de phénomènes psychiques, est modifiée, dans cet exemple romanesque et durant le fragment de durée intérieure donnée, par l'activité désorganisatrice de la conscience humaine. Dans l'absolu, l'expérience de la jalousie doit passer par une certaine évolution; dans la mesure où le roman se définit comme l'analyse de cette passion, il confirme la fatalité de ce schéma qui va de la naissance à l'explosion et à l'oubli; mais, dans la mesure où il rapporte l'aventure d'un individu particulier, il reflète le bouleversement que, dans son imagination, celui-ci apporte au déroulement abstrait de la loi générale. Le résultat final n'en est pas changé et le système idéal de la jalousie, existant en marge du temps, peut jouer le même rôle de référence objective que le mythe d'Œdipe; mais cette fois-ci il surgit de l'intérieur du personnage qui manifeste sa nécessité en même temps qu'il brouille son ordonnance par les fantasmagories de son invention créatrice. Entre les deux activités parallèles, ou plus exactement les deux manières divergentes dont une seule activité mi-émotive et mi-mentale s'exprime, il s'établit un contraste, une tension, un conflit structurel où on retrouve une seconde expression de la confrontation entre le destin impersonnel et la révolte humaine. La perspective unique de la *Jalousie* et la déchronologie permettent ainsi à Robbe-Grillet de se passer des artifices extérieurs au monde romanesque (légendes, coïncidences d'intrigue, etc.): la conscience du personnage principal, débarrassée des entraves temporelles ou objectives, suffit à poser à la fois une fatalité extérieure et une liberté intérieure et, au sein de celle-ci, une ordonnance nécessaire et un désordre dérisoire.

Les mêmes procédés servent aussi à diminuer le danger de la contamination tragique. Dans les deux premiers romans, l'écrivain frôlait la tragédie parce que l'action réciproque d'une fatalité extérieure et d'une liberté subjective qui se débattait en vain contre elle tendait à prendre la forme d'un conflit dramatique, engageait en tout cas des événements violents, devenait une question de vie ou de mort. Dans la *Jalousie*, tout se passe dans le monde mental, sans qu'il y ait drame véritable: les événements neutres rapportés ou reconstitués par le jaloux ne deviennent suspects que par la signification qu'il leur donne, ses propres angoisses et ses tourments ne se traduisent en aucune action funeste, et, si sans le savoir, il se conduit en victime d'un schéma idéal de la jalousie, il n'y a là rien de tragique non plus mais seulement la conséquence attendue d'un sentiment assez ordinaire et rarement fatal. Le jaloux souffre, sans doute, mais il s'inflige sa souffrance et, si pathétique qu'elle soit, elle n'atteint jamais un niveau tragique ni même, comme dans telle pièce de Molière, tragi-comique, voire mélodramatique. Par ailleurs, comme les éléments objectifs de la fatalité ne s'enracinent que très faiblement dans la réalité extérieure et ne prennent du poids que dans la représentation que s'en fait le personnage, l'altérité du monde auquel ils renvoient et de l'homme qui se les approprie se révèle clairement comme un simple rapport d'indifférence, sans qu'on soit porté à voir dans l'un une victime de l'autre.

L'unité de la perspective subjective de la *Jalousie* permet également à Robbe-Grillet de donner une expression naturelle à l'ambiguïté des actions humaines sans courir le risque des malentendus qu'on a relevés dans ses premiers romans. Ce qui gênait un peu dans les *Gommes* et dans le *Voyeur*, c'était le soupçon qu'une énigme objective marquait le domaine de la nécessité, qu'il y avait un mystère inconfortable qui se résolvait à l'analyse mais dont une trace subsistait dans l'atmosphère de l'ouvrage. La lecture achevée, une certaine incertitude continuait à planer dans l'esprit du lecteur malgré sa compréhension rationnelle de l'ordre des événements, et il y avait danger qu'il ne reconnût pas l'incohérence, l'équivoque, la marge de l'insaisissable, pour traits spécifiques de l'expression de la liberté humaine. Le va-et-vient entre les deux domaines — celui des choses et celui de l'homme — forçait Robbe-Grillet à recourir à des artifices techniques pour éviter que le flottement de celui-ci ne contamine l'équilibre de celui-là. Le crime de Mathias, par exemple, n'était révélé que par le truchement de la conscience rétive du criminel afin que celui-ci puisse insuffler une ambiguïté qui n'allait pas de soi. Dans la *Jalousie*, d'où la perspective objective est complètement éliminée, les deux domaines n'agissent ni ne déteignent plus l'un sur l'autre. Les événements neutres, tels qu'on les devine sous le gauchissement apporté par le protagoniste qui en fait état, ne constituent pas d'énigme en soi: l'interrogation, le doute, le mystère sont ajoutés clairement par l'obsession du mari. Le lecteur qui tient à s'identifier à celui-ci peut finir par s'interroger lui aussi sur le caractère exact des rapports entre A... et Franck et, surtout, sur la signification véritable de leur expédition en ville; mais cette préoccupation ne ferait que reprendre une angoisse imaginaire, ne reposerait sur aucune nécessité romanesque et, en général, témoignerait d'une incompréhension de la démarche de Robbe-Grillet qui borne la réalité de son univers aux éléments donnés dans le roman. Sans la jalousie du mari, donc sans l'obsession portant l'intervention « monstrueuse » de la liberté humaine au sein de l'arrangement indifférent du monde, tous les incidents situés sur le plan de la neutralité s'expliqueraient — s'expliquent — sans équivoque. La reprise troublante des scènes, dans la mesure où elle ne se limite pas à préciser des détails mais propose certaines contradictions dans les versions successives et donc entraîne un sentiment d'incertitude chez le lecteur qui ne sait plus à quoi croire, provient identiquement de la distorsion de la réalité par une conscience indisciplinée. La suppuration du mystère dans le monde objectif est ainsi attribuée à l'effet de l'activité impulsive d'un homme qui, dans son imagination, s'embrouille dans des tentatives désespérées d'imposer un sens à des circonstances indifférentes. Ce qui s'intègre harmonieusement à la vision de l'auteur.

Il subsiste cependant une suggestion d'ambiguïté dans la *Jalousie,* mais en marge du contenu anecdotique du roman et sans rapport avec le procédé de la perspective subjective unique. Il s'agit d'une équivoque discrète, qui ne se dévoile qu'à une lecture attentive et se rattache à l'activité du romancier plutôt qu'aux actions de son personnage. On a remarqué que la structure du récit se fonde sur une déchronologie qui dérive tout naturellement du point de vue adopté; or, à l'intérieur de ce système de temps fracturé, l'auteur a glissé un certain nombre d'indications contradictoires qui, elles, ne peuvent se justifier par l'intervention de l'imagination du protagoniste. Il s'agit des éléments neutres, et qui le demeurent dans la conscience du mari parce qu'ils ne s'y associent pas à des réactions émotives: la construction du pont de rondins, les stades de la récolte des bananes, la longueur des ombres portées, voire les progrès dans la lecture du roman africain. Encadrant des images plus personnelles, chargées d'affectivité et, partant, dénaturées par la jalousie, ces repères objectifs dans le temps auraient pu, comme dans les premiers romans de Robbe-Grillet, où ils foisonnaient, constituer un système rationnel qui permettrait de reconstituer une suite temporelle idéale. Or, il n'en est rien, car ces indices se contredisent mutuellement de sorte que l'ordre de succession de deux scènes, rétabli à l'aide d'une série de repères, se trouve renversé lorsqu'on y applique une autre. En comparant le décor matériel de deux épisodes, on constate que la construction du pont a avancé mais la récolte des bananes a fait marche arrière, ou vice-versa. Cette incompatibilité des références prétendument stables ne doit rien au hasard ou à la maladresse de l'écrivain, mais, au contraire, de son propre aveu, a été cherchée par lui, et disposée avec soin. A-t-il voulu que le lecteur détective, qui tenterait de mettre de l'ordre dans la déchronologie, perde pied dans une vision du monde bien plus incertaine et plus équivoque que celle qu'on reçoit à une lecture directe, innocente, instinctive du roman? Son dessein était en tout cas de décourager une approche à son œuvre qui n'en respecterait pas l'intégrité. Mais qu'a-t-il au juste accompli?

Il faut d'abord reconnaître que cette désorganisation de la logique des références temporelles ne cause pas, comme on pourrait le craindre, de flottement dans la nécessité. A l'égard du propos fondamental du roman — transposition littéraire du sentiment de jalousie s'exprimant par une double confrontation entre la fatalité et la liberté — ces légères entorses au caractère rationnel du monde des choses ne jouent pas de rôle discordant parce qu'elles se situent en dehors de la zone immédiate des événements qui expriment la fatalité ou la liberté. Il est indifférent à la mise en œuvre de la passion que le cadre temporel soit un peu mouvant, d'autant plus que cette passion reflète une conception abstraite de la jalousie conçue en marge du temps. Quant au monde des choses *là,* s'il est vrai qu'il se met à bouger un peu au rythme de cette pulsation temporelle, on n'en éprouve la sensation qu'à condition de se livrer à un travail de détection minutieux, visant à dépasser la réalité donnée par le romancier. L'expérience directe du texte, celle dans laquelle Robbe-Grillet a voulu cantonner le lecteur, continue à livrer un univers solide et passablement rationnel.

Il n'en reste pas moins que cette altération des lois de la durée apporte quelque chose de nouveau dans la technique romanesque de Robbe-Grillet. Dans la mesure où elle fait échec aux tentatives de reconstruire l'ordre des événements, elle se situe aux antipodes du chiffrage du mythe d'Œdipe dans les *Gommes,* où le travail de détection était récompensé par une vision plus claire de la nécessité. L'effet déroutant qu'elle produit, c'est en réalité une manifestation, encore un peu timide, de la théorie de l'autonomie absolue de l'œuvre d'art, et, partant, de son indépendance à l'égard des lois du monde réel. En effet, sans modifier le caractère nécessaire des éléments neutres, tels qu'ils se trouvent présentés dans le roman, et donc, comme nous l'avons noté, sans porter atteinte au principe de fatalité, ce procédé adapte et étend, pour la première fois chez Robbe-Grillet, la notion d'incertitude au domaine de la présentation elle-même. Le monde objectif est toujours *là,* indiscutable et permanent dans son existence littéraire, mais toute comparaison avec une réalité extérieure au roman, et, par conséquent, à tout modèle immuable, devient problématique: les choses s'affranchissent et se séparent de leurs homologues dans l'expérience vécue, se révèlent entièrement et exclusivement sujettes de la volonté de l'écrivain. L'univers qu'elles composent et qui, il faut y insister, demeure fondamentalement nécessaire dans la perspective romanesque, revendique son droit à n'être que création imaginaire, voire fantastique, niant la logique en cas de besoin. Invention originale du romancier, il subit et exprime sa liberté vis-à-vis des exigences du « réalisme » traditionnel et montre qu'il manipule à son gré le produit de son imagination. Dans ce sens, la *Jalousie* offre un manifeste romanesque de l'écrivain qui proclame sa licence non seulement de créer des mondes imaginaires, mais aussi d'y semer des contradictions, d'y inclure des non-sens, bref d'y récuser les lois du monde réel. En somme, on a l'impression que Robbe-Grillet, dans son rôle de romancier, se voit à la manière de ses propres personnages dont l'activité imprévisible introduisait la désorganisation dans le monde neutre à mesure qu'ils s'exprimaient librement. Comme eux, il produit une réalité incompréhensible et monstrueuse à plus d'un égard, irréductible à un sens définitif tant qu'elle ne cesse de s'accroître. La signification inaltérable du roman achevé, qui livre une vision du monde figée dans le texte publié, évoque, dans ce cadre, le retour à l'ordre.

CHAPITRE V

« DANS LE LABYRINTHE » (1959)

L'intérêt pour la création littéraire conçue comme une variété d'activité humaine et, partant, pour les formes sous lesquelles la fatalité et la liberté s'expriment dans l'œuvre romanesque, devient un des ressorts principaux de *Dans le labyrinthe*. Après la démonstration de Bruce Morrissette, on ne peut guère douter que, du point de vue structurel, cet ouvrage propose en premier lieu le récit de la création d'un roman, le contenu concret de celui-ci constituant un sous-produit de la démarche principale. L'histoire du soldat, à laquelle s'attache l'attention d'un lecteur pressé, est sans conteste narrée par un personnage interposé, aux prises avec les difficultés de la mise en œuvre romanesque; et c'est le fonctionnement de ce mécanisme d'invention et d'écriture qui fait objet de l'attention de Robbe-Grillet. Dans ce sens, il y a deux niveaux différents dans le *Labyrinthe*, deux mondes romanesques superposés, deux héros ou deux protagonistes: l'écrivain-personnage et le personnage-personnage. Le monde où s'accomplit le travail de la création peut être imputé directement à l'imagination de Robbe-Grillet et, dans ces limites, témoigne d'une vision authentique; le second, attribué à l'écrivain imaginaire, pourrait refléter la perspective de ce dernier. Il est d'autant plus intéressant de remarquer que les deux récits, relevant d'obsessions différentes et se déroulant dans des circonstances différentes, font état d'une même dualité fatalité-liberté qui reprend, à peu de chose près, la vision des autres romans de Robbe-Grillet. L'image du labyrinthe dans laquelle elle s'inscrit est également valable pour les deux plans, puisque le narrateur imaginaire et l'infortuné produit de son invention s'y perdent d'une même manière, ainsi, au reste, que le lecteur:

> Le lecteur, lui non plus, ne voit pas les choses du dehors. Il est dans le labyrinthe aussi. Sans cesse tenu en haleine, bien que se demandant sans cesse où il va, il vit lui-même cette aventure étrange et rigoureuse, où tout lui apparaît comme nécessaire, où rien cependant ne lui laisse prévoir la fin (*DL*, prière d'insérer).

Au niveau de la création d'une « histoire », la revendication de la liberté de l'écrivain, posée d'abord dans la *Jalousie,* sera confirmée systématiquement, mais aussi circonscrite, en tant que manifestation de l'activité humaine, par les limites que lui assignent les structures de la nécessité. En se mettant à imaginer une histoire, le narrateur du

Labyrinthe s'engage dans un projet qui, pour gratuit et illusoire qu'il soit, le place dans la situation de n'importe quel autre personnage de Robbe-Grillet, jeté, avec sa liberté dérisoire, au milieu des signes concrets de la fatalité. Dans ce cas particulier, ces signes — points fixes d'une durée neutre entre lesquels l'imagination glisse ses chimères — se présentent sous la forme d'un certain nombre d'éléments d'un donné qui préexiste à l'entreprise de l'écrivain fictif et lui sert de source de la création littéraire: par exemple, la scène et les personnages du tableau « La défaite de Reichenfels », la boîte et son contenu, et peut-être bien d'autres éléments. Le narrateur, dans son mouvement de navette entre ces références inaltérables et le récit qu'il en tire, ressemble ainsi à Wallas en proie à une activité désordonnée et pourtant contrôlée par un système rigide d'épisodes renvoyant au mythe d'Œdipe — mais un Wallas conscient qui s'appliquerait à respecter le plan. Il tient aussi de Mathias, toujours ramené, quelque effort qu'il fasse pour s'en éloigner, à l'heure opaque de son crime, et il tient du mari jaloux qui revient continuellement à quelques scènes-clés pour y puiser une nouvelle inspiration à son délire.

A l'instar de ces personnages tiraillés entre les signes et l'invention, et aussi pathétique qu'eux bien que mieux averti du caractère inévitable de cette tension, le narrateur imaginaire du *Labyrinthe* se montre incapable de ranger dans un ordre quelconque les éléments du donné objectif. Il procède à l'aveuglette, dans la confusion, sans prévoir où le mènera son travail. Le produit de son imagination se crée par à-coups, à tâtons, avec des reprises, des ratures, des répétitions, des contresens, bref tout le répertoire déjà familier des manifestations imputées par Robbe-Grillet aux activités de l'homme libre. Lorsqu'il pose un décor, la pluie se transforme en vent, en soleil, éventuellement en neige; un petit garçon apparaît, disparaît, reparaît, sans qu'on sache si c'est le même ou un autre; des actions s'amorcent, puis s'arrêtent sur un brusque « non », et repartent dans des directions guère plus stables. Transcription fidèle des avatars du travail créateur, assure M. Morrissette dans son excellente analyse descriptive du roman. Certes, mais pourquoi livrer cette rédaction à l'état naissant, insister sur sa désorganisation, se complaire dans l'incertitude, sinon pour mettre en évidence à la fois la licence du créateur et les formes monstrueuses qu'elle emprunte? Le narrateur affirme sa liberté en accumulant, par défi dirait-on, les contradictions et les non-sens; mais ses inventions les plus audacieuses ne peuvent entamer la solidité des éléments du donné et ses tentatives les plus surprenantes de s'arracher à son emprise, tout en lui conservant sa fonction de charpente, s'avèrent futiles.

Car, comme le narrateur, on en revient toujours là: à ce tableau accroché au mur et à ces quelques objets dans la chambre qui leur fait résonance. Au milieu d'un monde mouvant, ces îlots de résistance ne bougent pas, et sur eux prend appui toute la construction romanesque. Il reste à déterminer avec plus de précision leur dimension, à circonscrire exactement le territoire qu'ils couvrent. En d'autres termes, pour saisir le rapport entre l'imagination et le donné, il convient d'abord de distinguer clairement la séparation entre les deux domaines et d'indiquer où commence l'invention et où se borne la nécessité. Par exemple, la scène de la mort du soldat est-elle également donnée à l'avance au narrateur, comme le suggèrent certains critiques, et ajoute-t-elle une troisième source objective à l'inspiration romanesque? La réponse à cette question, et à toute autre interrogation portant sur un épisode semblable, dont la nature n'est pas immédiatement évidente, dépend essentiellement de l'interprétation qu'on adopte quant à l'identité du narrateur, selon l'une de deux hypothèses majeures.

D'après la première hypothèse, retenue par la plupart des critiques, le « je » qui ouvre le livre et le « moi » qui le ferme (indiquant d'une manière graphique que l'histoire du soldat commence et finit avec le narrateur) se rapportent au médecin qui soigne le blessé et se trahit par l'allusion, plus ou moins involontaire, à « ma dernière visite » (*DL,* p. 211). En faisant irruption dans le monde romanesque, le médecin apporte la caution de l'authenticité à un certain nombre d'épisodes qui, à première vue, avaient pu sembler purement imaginaires. Ses visites, partant l'existence objective du soldat mourant, partant l'origine de la boîte et de son contenu remis au docteur après la mort du militaire, s'agglomèrent en un ensemble structurel cohérent. La présence visuelle de la boîte sur la commode constitue une manifestation concrète et actuelle de cet ensemble pendant que l'écrivain se livre à son travail de composition littéraire. Mais c'est l'ensemble tout entier, donc toute la structure du donné nécessaire, qui préexiste dans la mémoire du narrateur sous la forme de la sûre connaissance d'un fragment important du passé. On est donc fondé de dire — et on l'a fait d'ailleurs — que le roman s'explique par le projet du médecin de tirer de son souvenir, ravivé par la vision de la boîte et mis en relief par la réflexion de certains thèmes dans le tableau, le récit de la dernière journée du soldat dont il a gardé les possessions.

C'est possible. Nous ne trouvons rien à redire à cette hypothèse pour autant qu'elle se limite à ces conclusions immédiates. Mais c'est précisément ce qu'elle ne peut pas faire. Car il n'existe aucune raison de borner à la visite, et donc à la mort du soldat, les ramifications des éléments nécessaires dans l'œuvre imaginaire sous forme du témoignage irrécusable de la mémoire. Si le narrateur a « réellement » connu le soldat, au lieu d'animer dans son imagination un personnage du tableau, il a également dû rencontrer le petit garçon qui l'avait aidé à transporter le blessé, la femme qui hébergeait ce dernier, l'homme qui habitait le même logis, la chambre du malade, l'ameublement, etc. La neige, les rues aux maisons anonymes, les réverbères, le froid, bref tout le décor physique, s'objectivisent par la même occasion puisqu'ils correspondent également à l'expérience concrète du narrateur. Il est même hasardeux de borner la prolifération des données objectives aux scènes qui se rattachent directement au médecin, du fait que, profitant de sa présence au chevet du malade, il a pu recueillir les témoignages de tous ces personnages dont il garantit la réalité extérieure à son récit. Dès lors, les premières rencontres du soldat avec le petit garçon, sa première entrevue avec la femme, sa nuit à la caserne, voire les fragments de ses souvenirs du front, livrés durant son délire et entendus par l'entourage, passent du domaine de l'invention et du possible au domaine de l'acquis. La part certaine de l'imagination dans la mise en œuvre de l'intrigue s'amenuise à mesure qu'on étend ainsi à l'infini les sources objectives de l'inspiration ; l'ordre impose sa rigueur par une multiplicité d'éléments neutres ancrés dans la mémoire, dans le passé, dans la fatalité ; et le travail du narrateur se réduit à donner une forme romanesque à son expérience vécue en tant que médecin.

Ceci ne signifie pas que le rôle de l'activité créatrice, source de l'invention en même temps que de l'erreur, tend à disparaître. Quel que soit le détail des renseignements obtenus par le narrateur, ils ne restituent pas une réalité totale : il faut qu'il en comble les interstices et les temps morts, qu'il donne corps à la structure préexistante. En faisant acte d'écrivain, il faut surtout qu'il se livre, en toute liberté, à la transmutation en œuvre d'art du matériau brut dont il dispose. Certaines fausses notes apparentes du *Labyrinthe* peuvent, sans doute, bénéficier d'une explication rationnelle dans le cadre de l'hypothèse adoptée ; ainsi, au lieu de représenter l'incertitude et le flottement de l'intention gratuite de l'auteur, les versions successives du climat pourraient rapporter, en raccourci, les conditions atmosphériques qui existent réellement pendant que le narrateur reconstitue lentement les circonstances d'une journée d'hiver ; d'autres signes du désordre, en revanche, doivent être mis sur le compte de la difficulté d'exécuter cette mise en œuvre formelle : montage des pièces du donné, hésitations devant le choix de certaines variantes d'épisodes obscurs, visions incohérentes et formes monstrueuses au moyen desquelles l'imagination cherche à désorganiser le plan idéal. Le narrateur a beau couper court, par ses « non », à ces intrusions de l'imaginaire et de la confusion dans la transposition fidèle d'une réalité nécessaire ; l'acte même de transposition, soit l'*écriture*, les rend inévitables.

Cette hypothèse, confirmant la dualité de l'activité créatrice, oscillant entre le donné et l'imaginaire, la fatalité et la liberté, a ceci de particulièrement séduisant qu'elle rejette dans le domaine objectif un maximum d'éléments structurels, personnages et anecdote y compris, réservant à l'écriture le caractère de l'invention romanesque à proprement parler. L'apport de l'écrivain au récit, le facteur humain dans l'œuvre d'art, le levier au moyen duquel une création libre, incompréhensible parfois, mais, toute dérisoire qu'elle soit, exprimant l'intervention de l'homme dans un univers indifférent, s'arrache au temps neutre et à l'ordre inaltérable de la nécessité — tous ces éléments essentiels de l'invention se situent ainsi sur le plan formel et non sur celui des significations explicites. Or, c'est bien ce que Robbe-Grillet prêche dans ses essais.

Aucune évidence interne du texte n'invite à rejeter cette hypothèse. Cependant nous avons des scrupules à y souscrire. Car si l'importance qu'elle attribue à la forme correspond aux options du romancier, il en va tout autrement pour la conception du personnage d'écrivain qu'elle propose et la démarche créatrice qu'elle lui impute. Si le narrateur est bien le médecin, il faut en conclure qu'il se conçoit davantage comme un chroniqueur — tel Rieux dans la *Peste* — que comme un créateur des mondes imaginaires et gratuits, à la Robbe-Grillet. Il s'efforce de rendre, aussi fidèlement que possible, une réalité extérieure à son récit ; et s'il n'y réussit pas, c'est à regret et malgré lui, uniquement parce que, en tant que personnage, il tombe sous le coup du système robbe-grilletien et de sa futilité des projets humains. Il reste que, dans ses intentions, il apparaît comme partisan de la tendance « vériste » en littérature, puisqu'il voudrait témoigner plutôt qu'inventer. S'il est donc exact qu'avec le *Labyrinthe*, Robbe-Grillet a tenté de faire le roman de la création romanesque, ce choix d'un écrivain dont il désapprouve l'attitude comme type de romancier, et d'une œuvre vériste à qui il dénie l'authenticité littéraire comme type de récit, ne pourrait s'expliquer que par une volonté de dérision qui mettrait en cause toutes les significations du texte et que rien, d'ailleurs, ne permet d'y soupçonner. En conséquence, il semble préférable de s'arrêter à la seconde hypothèse qui, tout en reprenant les thèses essentielles de la première, donne une interprétation plus plausible et plus intéressante de la construction du *Labyrinthe*, bien qu'au prix d'une complexité structurelle plus poussée.

Cette hypothèse postule d'abord un narrateur parfaitement anonyme, presque abstrait, réduit à dessein à deux pronoms de la première personne pour décourager toute identification. Qu'il s'agisse d'un homme alité trompant son ennui par l'invention d'une histoire, comme tel critique l'a avancé, ou d'un écrivain quelconque en mal d'inspiration, ou « du » romancier en général, ou encore de Robbe-Grillet lui-même qui, par amour de la circularité, se prendrait pour son propre personnage, est à la fois impossible à établir et oiseux à chercher, puisque la réponse se trouverait franchement en dehors du texte et que celui-ci n'en serait nullement affecté. Ce qu'il importe de noter, c'est que toutes ces possibilités, et d'autres qu'on pourrait leur rattacher, érigent une paroi solide entre le monde de ce narrateur et le monde imaginaire où erre le soldat en délire. Par la même occasion, cette hypothèse limite strictement à la chambre — qui seule se trouve au premier plan — donc à son contenu concret: tableau, objets divers, formes harmonieuses ou symétriques, les sources objectives du récit qui constituent autant de manifestations de la nécessité — tout le reste étant invention. De la « Défaite de Reichenfels » proviennent les personnages du soldat et du petit garçon, l'idée d'une ville abandonnée à l'ennemi, l'épisode du café; de la boîte, la boîte. A l'anonymat du narrateur correspond logiquement l'anonymat de ces éléments du donné: on ne sait et on ne se soucie pas de savoir d'où ils sortent, depuis quand ils se trouvent dans la chambre, dans quelles circonstances ils y sont arrivés. Il suffit qu'ils soient *là*, pourvus d'un même degré de réalité immanente que le narrateur imaginaire.

En revanche, c'est sur le plan de l'invention qu'il convient de placer l'épisode de la mort du soldat et l'existence même du médecin qui y assiste. Il est significatif à cet égard que toute la séquence finale, à partir du tir de la mitrailleuse, se déroule à une allure beaucoup plus rapide que le reste du récit et que les reprises et les corrections y sont beaucoup plus rares, alors que s'y glissent certains commentaires et explications, des amorces d'un résumé de l'histoire, qu'on ne trouve guère avant. On en reçoit une impression d'impatience, de volonté d'en finir, de tentative hâtive et ultime, comme au dernier chapitre d'un roman policier, de ramasser en un ensemble cohérent les indications contradictoires ou incompatibles semées dans le livre. On dirait que l'écrivain anonyme, fatigué par l'effort de création, veut parachever rapidement son œuvre. L'apparition du médecin, que rien ne faisait prévoir, alors que les autres

42

personnages s'étaient déjà réfléchis de multiples fois dans les miroirs du *Labyrinthe,* et à laquelle, sans trop de conviction, une place est faite d'urgence dans le système des réflexions au moyen d'une identification au pied levé avec une silhouette aperçue plus tôt et avec un personnage secondaire du tableau, cette apparition tardive et suspecte semble dériver d'un désir similaire, éprouvé à la dernière minute, de justifier, fût-ce a posteriori, le projet même du narrateur, soit: de jeter un pont entre le domaine du donné et celui de l'invention et, ce faisant, attribuer à ce dernier une certaine nécessité. Or, pour que la paroi s'écroule entre les deux mondes, il suffisait d'établir l'identité entre la boîte que le narrateur voit sur sa commode et la boîte du soldat; et il fallait, pour effectuer ce tour de passe-passe, que le narrateur trouve le moyen de franchir lui-même la barrière entre les deux plans. Le narrateur n'est pas médecin, avec tout ce que cela entraîne, mais, dans le cadre de la fiction qu'il invente, il imagine que, sous les traits d'un médecin fictif, il a ramené du royaume de l'invention un témoignage concret — la boîte — qui garantirait la réalité du récit imaginaire. Bref, dans ces dernières pages du livre, il crée artificiellement l'illusion d'une situation romanesque qui correspond à la première hypothèse que nous avons écartée en tant qu'explication de la situation objective. Mais, par contraste avec l'attitude que cette hypothèse impliquait chez le narrateur-médecin, le narrateur anonyme de la seconde hypothèse fait voir un mépris total du vérisme et la priorité de la fantaisie dans l'élaboration de la structure du récit: car l'allusion à « ma visite » se révèle non seulement une fausse piste, mais un artifice arbitraire qui donne lieu à une circularité impossible et efface complètement la frontière entre la réalité et le rêve.

Sous ces deux angles, si l'on s'arrête à la seconde hypothèse, le *Labyrinthe* continue l'évolution vers une autonomie toujours plus grande de l'écrivain à l'égard des lois de la réalité objective, et vers une amplification du rôle de l'imagination comme sujet de roman. La circularité des *Gommes* faisait partie du schéma du monde; dans le *Voyeur,* elle s'établissait surtout sur le plan de l'espace géographique, avec une correspondance dans le cercle fatal décrit par l'imagination de Mathias; enfin, la disposition circulaire de l'ordre (ou du désordre) des images dans la conscience du mari dans la *Jalousie* se justifiait en partie par le fonctionnement de son obsession, mais surtout par l'artifice de l'organisation romanesque. Le *Labyrinthe* contient un certain nombre de constructions rationnelles de cette sorte, mais elles se situent sur le plan du récit imaginaire présenté par le narrateur; la circularité principale entre ce récit et les données objectives dont il sort et qu'il contient tout à la fois, va bien plus loin puisqu'elle nie les lois de la logique. On verra que ce défi à la raison deviendra un système dans la *Maison de rendez-vous* où les structures secondaires autant que principales s'inscriront naturellement dans ces rondes impossibles. Parallèlement, on note la progression de l'importance accordée à l'imaginaire. Limité aux reconstitutions du crime dans les *Gommes,* il s'exprime plus pleinement au moyen des images intérieures de Mathias dans le *Voyeur,* puis s'élève à l'exclusivité du mode subjectif dans la *Jalousie,* bien qu'il y reflète encore, en la dénaturant, une réalité objective. Dans le *Labyrinthe,* par contre, seuls le cadre et quelques rares objets témoignent d'une existence plus ou moins autonome dans le réel; du reste, ils n'ont guère d'intérêt en soi; et le sujet principal du roman se définit comme le fonctionnement d'une imagination qui se saisit de ces objets, puis les abandonne pour en construire des homologues imaginaires. Enfin, dans la *Maison de rendez-vous,* tout ne sera qu'images mentales, renvoyant à d'autres images mentales, dérivées elles aussi d'une activité de l'imagination.

Dans cette évolution, le *Labyrinthe* marque une étape décisive car, pour la première fois, on peut y voir l'application de la formule: « l'imagination précède l'existence ». Le choix du tableau et de la boîte en tant que données objectives du récit imaginaire ne s'impose pas par un mouvement de la nécessité. Certes, les deux éléments, et certains aspects de la chambre où ils se trouvent réunis, recèlent quelques rapports de symétrie et de correspondance qui ne peuvent guère s'expliquer en termes du hasard et, par conséquent, suggèrent l'existence d'un schéma idéal ou d'un ordre fatal dont on verrait des aperçus: le soldat du tableau tient une boîte sous le bras, une boîte pareille se trouve sur la commode, un poignard-baïonnette a laissé des traces sur la table et sur la cheminée, le papier de la chambre est décoré de petites croix en forme de poignards, et cætera. Mais ces échos sont évidemment des plus ténus et la possibilité qu'ils manifestent une structure nécessaire ne suffit pas à justifier la tentative de bâtir un monde imaginaire à partir de ces éléments. Il a fallu au préalable un acte de foi, une décision arbitraire. Avant d'entreprendre son projet, le narrateur a dû poser en axiome que les fragments dont il dispose peuvent s'assembler en une fatalité cohérente; en fait, il a dû les investir d'une nécessité au fond imaginaire. Le *Labyrinthe* présuppose ainsi un pari subjectif, avant de se développer en gageure: car il s'agira de prouver que l'axiome de base peut réellement donner lieu à une expérience romanesque, et que l'histoire imaginaire du soldat pourra s'organiser selon les exigences d'un ordre neutre attribué arbitrairement, par un acte d'imagination, au contenu du tableau, à celui de la boîte, et à leurs rapports mutuels.

On constate ici une divergence intéressante entre le *Labyrinthe* et les deux romans précédents en ce qui concerne la raison d'être interne de l'activité mentale. Les alibis de Mathias ne servaient à rien de tangible parce qu'ils s'effectuaient en marge de la fatalité, mais ils exprimaient une nécessité psychologique visant à un effet pratique dont Mathias ne pouvait connaître la futilité. Les soupçons du mari jaloux étaient plus gratuits dans la mesure où ils n'avaient et ne pouvaient avoir de manifestations que mentales; toutefois, ils se fondaient sur des incidents objectifs et, derechef, exprimaient une nécessité interne éprouvée par le personnage. La conscience créatrice du *Labyrinthe* fonctionne, au contraire, par l'effet d'un caprice sans motif impérieux, de nature psychologique ou objective, car le donné auquel elle se raccroche par la suite, elle le pose d'abord elle-même librement, sans aucune pression extérieure ou intérieure, dans un mouvement d'imagination presque aussi gratuit que l'invention ultérieure d'un monde imaginaire inspiré par ce donné. Autant dire que la conception du roman repose sur une double affirmation d'une liberté qui ne vise que sa propre expression sous la forme d'une création littéraire.

44

Projet artificiel, gratuit, paradoxal, et pourtant très significatif par ce qu'il dévoile de la vision du monde et du rôle qu'y joue — que doit y jouer — l'ordre de la fatalité. En effet, rien n'obligeait le narrateur anonyme, dont on ne sait d'ailleurs presque rien, à se formuler des repères objectifs et, si Robbe-Grillet a décidé qu'il le fasse, c'est donc pour postuler une fois de plus la confrontation entre la nécessité et l'activité libre, prenant place, dans ce cas particulier, dans le domaine de la création. Le personnage central, réduit rigoureusement à sa fonction d'écrivain et soustrait à tout contact normal avec la réalité extérieure, ne donne guère prise à l'action de la fatalité parce que sa seule activité consciente se déroule sur le plan de l'imagination, donc à un niveau où l'homme dispose du maximum de liberté, et se réalise en accomplissements fictifs; il est d'autant plus remarquable qu'il ressente le besoin de s'inventer une fatalité imaginaire à partir des rares éléments neutres qui définissent sa présence au monde et qui, seuls, résistent à la gratuité du projet. Le récit terminé, on peut douter de la réalité de tous ses éléments, y compris l'identité du narrateur; mais le tableau et la boîte demeurent, survivent à la débâcle et, par la même occasion, retiennent le roman entier au bord du néant.

Si le donné objectif apparaît donc nécessaire à l'économie de la création, soit qu'il s'impose en détails avec toute l'autorité d'une expérience vécue — première hypothèse — soit qu'il faille l'inventer à partir de presque rien — seconde hypothèse — il n'en est pas moins vrai que la lecture du *Labyrinthe* au niveau secondaire de « l'histoire » fondée sur ce donné, mais libérée de sa fatalité par l'intervention de l'imagination créatrice, peut se passer aisément de toutes ces considérations sur les circonstances dans lesquelles cette « histoire » a pris corps. L'anecdote qui rapporte le sort du soldat comporte des significations autonomes et, pour en dégager la portée, il n'est pas indispensable de tenir compte des enseignements tirés du sujet principal. Au contraire, en veillant à séparer nettement les deux niveaux du roman, malgré la suggestion d'un contact possible en la personne du narrateur, et en faisant contraster le caractère relativement réel de l'un avec le caractère franchement imaginaire de l'autre, Robbe-Grillet paraît encourager deux lectures de l'ouvrage, l'une attentive aux problèmes de l'activité créatrice, l'autre ne s'attachant qu'à son produit final. Avant d'entrer dans le jeu et de considérer, avec un regard naïf, l'histoire du soldat dans son autonomie, il convient cependant de noter que la séparation entre les deux plans ne se fait pas d'une manière formelle, par exemple en deux parties distinctes ou en chapitres alternés. La chose a son importance dans le sens que cette coexistence, somme toute matérielle, produit un certain effet déterminatif, voire fatal, certainement tragique, sur la tonalité et sur la vision de la présence humaine dans l'univers évoqué au deuxième niveau de signification.

En effet, si le climat de tragédie à l'intérieur du récit imaginaire s'établit dès l'ouverture du roman, c'est dans une grande mesure grâce à un contraste appuyé entre le bien-être et la paix dont jouit le personnage-narrateur et la violence des éléments qu'il imagine « dehors ». Alors qu'il se trouve « bien à l'abri » (*DL,* p. 9), les images successives qu'il propose comme décor de l'aventure dans laquelle il poussera son soldat, avant de fixer son choix sur le paysage neigeux et monotone d'une ville-labyrinthe, expriment toutes un excès des forces de la nature : pluie aveuglante, vent désolé d'automne, soleil desséchant sur l'asphalte poussiéreux. Après quoi, un retour au narrateur souligne derechef, ainsi que d'autres rappels continueront à le faire, la tranquillité et le confort de la chambre : « Ici le soleil n'entre pas, ni le vent, ni la pluie, ni la poussière » (*DL*, p. 9). On pourrait s'aviser d'en conclure que Robbe-Grillet conçoit la création littéraire en vase clos, sans ouverture sur le monde. Il est plus prudent de s'en tenir au texte et à l'insistance sur le contraste qui plonge le décor imaginaire dans un climat dominé par une nature impitoyable, brisant toute notion d'entente entre l'homme et son milieu, écrasant la faiblesse humaine et suggérant un antagonisme foncier à son égard. Ce n'est pas la première fois que Robbe-Grillet se sert des aspects inhumains de la nature pour marquer l'altérité de l'homme et du monde. Mais ces aspects n'avaient jamais emprunté une forme active, ou à peine, composant avec indifférence une fatalité préexistant à l'expérience de l'individu, alors que dans le *Labyrinthe*, il s'agit d'un rôle déterminant, dynamique et — il faut bien l'admettre — engagé directement dans l'élaboration du destin. La tempête de neige, créée à ce dessein par le narrateur ou donnée à lui de l'extérieur, aurait pu n'être qu'accidentelle. Mais la manière dont elle est mise en évidence par le contraste avec le calme de la chambre relève de la technique de la « complicité tragique » qu'on s'étonne de trouver chez Robbe-Grillet. Il se peut qu'il n'y ait guère prêté attention. Ou encore, ayant pris la précaution d'avertir dans une note préliminaire que « ce récit est une fiction, non un témoignage » et qu'il « ne prétend à aucune valeur allégorique » (*DL*, p. 7), n'ayant point dissimulé que l'intrigue secondaire dérive de l'imagination d'un personnage déjà imaginaire, ayant même insisté par des procédés divers sur le caractère illusoire de cette création, a-t-il pu sembler à Robbe-Grillet qu'il ne risquait pas qu'on prenne au sérieux le roman à l'intérieur du roman, et qu'il pouvait se permettre en conséquence d'en dramatiser artificiellement le ton sans qu'on l'accusât de basse cuisine tragique. Dans ce sens, à l'action réciproque entre la nature et le personnage dans le *Labyrinthe* il conviendrait d'attribuer la signification d'une coïncidence fatale mais impersonnelle, répétant la fatalité indifférente qui disposait des objets à sens érotique sur le chemin de Mathias. Il n'en reste pas moins que ce choix entraîne une intensification de la tragédie qui, déjà, se lovait dans une intrigue exceptionnellement dramatique.

La prière d'insérer est catégorique sur ce point. Le soldat de l'aventure imaginaire se trouve pris dans un engrenage d'images confuses un peu à la manière de Wallas, de Mathias ou du mari jaloux, mais, bien plus que ceux-ci chez qui le dédale mental n'a d'issue fatale que pour autrui, il accomplit ainsi un destin véritablement tragique car :

> (il) n'est pas un simple joueur. Trouver son chemin, se retrouver lui-même est pour lui une question de vie ou de mort. Le temps presse. Les événements dont il tente de débrouiller le cours continuent à se dérouler, de plus en plus vite. Il ne faut rien laisser perdre. Le moindre indice peut être capital... (*DL*, prière d'insérer).

Il y a peut-être quelque exagération dans ce commentaire, mais le fait demeure que les pérégrinations du soldat dans les rues anonymes ressemblent à une marche vers la mort ou, si l'on préfère, à une progression aveugle mais fatale vers une mise à mort. On a vu que les étapes et les caractères principaux de cette durée imaginaire étaient donnés par quelques éléments objectifs tenant le rôle d'une fatalité au premier degré. En faisant abstraction de cette perspective extérieure à la narration imaginaire, en acceptant temporairement la réalité du récit et en se plaçant à l'intérieur de son univers, on retrouve ainsi une autre fatalité qui se dégage du contenu concret de l'histoire du soldat et renvoie, elle aussi, à un schéma idéal et nécessaire. En effet, la ville, ou ce qu'on en voit sous l'enveloppe de neige — quelques rues, des maisons indistinctes, une caserne, une demi-douzaine d'habitants — se présente à l'image d'un labyrinthe, c'est-à-dire un système essentiellement rationnel mais dont l'organisation et le plan échappent à qui s'y égare par l'effet d'une aberration de ses sens. La neige, qui recouvre les plaques des rues et uniformise les bâtiments, s'ajoute ici à la fièvre du soldat blessé pour lui faire accomplir des parcours circulaires, perdu dans un délire où des sections de temps et d'espace se multiplient, se reflètent, basculent ou se dressent soudainement comme les plans trompeurs d'un labyrinthe de foire. Le personnage se heurte à ces illusions parce qu'il ne connaît pas la clé du système, parce qu'il est éminemment humain, donc incapable d'une vision rationnelle, et, surtout, parce qu'il cherche une issue qui n'a jamais existé que dans son imagination: un rendez-vous imprécis, incertain, inutile, impossible. Le dédale où il tourne est truqué à l'avance comme toutes les fatalités, et chaque pas le rapproche inévitablement de l'issue réelle et fatale qui met enfin un terme à ses efforts futiles. Parti pour tenir une promesse absurde, il trouve la mort au bout de son itinéraire: c'était la seule, et nécessaire, manière de sortir du labyrinthe.

Il est difficile de résister à la tentation de généraliser cette situation et d'y voir une image de la vie où chacun suit quelque idéal mais n'aboutit qu'à la mort: une vie-labyrinthe marquée par la fatalité de l'échec et de la mortalité. On comprend les critiques qui ont poussé plus loin la recherche des symboles dans le roman, proclamant que le contenu dérisoire de la boîte, que le soldat doit remettre à un destinataire obscur, représente le patrimoine de l'humanité: la foi, l'amour, le temps. Il n'est pas besoin, pourtant, de recourir à ces allégories pour apprécier la force et la signification de la vision du monde qu'évoque le sort du soldat. Sous une forme plus dramatique, on y retrouve la dualité de l'ordre mécanique du monde et du désordre des intentions humaines s'exprimant à travers une liberté éphémère. Conçues comme expérience unique, les vingt-quatre heures significatives du récit sont, à l'image de la durée dans les *Gommes* et, plus encore, à l'image des divagations de Mathias et du mari jaloux, fondamentalement « en trop ».La circularité n'est pas aussi parfaite que dans le premier roman, bien qu'elle soit moins artificielle, mais le contraste entre l'activité fiévreuse du soldat acharné, en dépit du bon sens, à accomplir sa mission, et le caractère futile et illusoire de cette mission impossible à accomplir, démontre nettement la vanité de l'agitation délirante des hommes rendus à leur liberté et, par là même, à leurs obsessions. Car, chez le soldat comme chez les autres personnages de Robbe-Grillet, c'est une véritable obsession qui inspire le défi aux schémas nécessaires: une passion obstinée qui refuse de tenir compte de la fatalité, qui s'en distingue l'espace d'un moment, et puis s'éteint. Mû par une promesse librement et, peut-être, hâtivement donnée, mais qui s'est transformée en obligation monstrueuse, le soldat agité et agissant dans une ville déjà figée dans l'attente des troupes ennemies, est messager de désordre, facteur de désorganisation, corps étranger et embarrassant; mais il suffit de vingt-quatre heures pour que tout rentre dans l'ordre.

Destin tragique, donc, et dont l'accomplissement mène à la mort après une courte et gratuite explosion de liberté; liberté tragique, elle aussi, parce que, pour la première fois dans l'œuvre de Robbe-Grillet, l'obsession ne se réduit pas à l'expression d'une passion égocentrique mais dépasse l'individu dans une tentative généreuse de se porter vers autrui. Quel que soit l'aspect sous lequel on l'aborde, par son déroulement absurde ou par son aboutissement nécessaire, le sort du soldat transmue le pathétique des autres personnages en un drame authentique. Et, sans doute, la mission dont il s'était chargé paraît-elle trop dérisoire pour que le roman s'élève à la hauteur d'une tragédie antique. Mais, à cette exception près, on y chercherait en vain une évasion hors du climat tragique. Dans ce sens, comme la prière d'insérer le promettait, le lecteur est bien pris dans un dédale monstrueux. Certes, il peut en sortir en détruisant l'illusion, c'est-à-dire en revenant, au terme du roman, à la réalité du narrateur qui, au dernier mot, reparaît tout à coup comme pour rappeler, avec un clin d'œil, que la tragédie n'était qu'un jeu de création littéraire. Il semble bien, cependant, que ce rappel s'avère insuffisant et que la résonance dramatique du récit fictif survive à ce retour à une perspective objective.

Si, par ce côté tragique, le *Labyrinthe* dévie de la ligne générale des romans de Robbe-Grillet, tout en conservant la vision de la dualité fatalité-liberté, c'est donc que les précautions structurelles de cet ouvrage, et surtout l'insistance systématique sur le caractère imaginaire de l'histoire du soldat au moyen des allusions constantes aux hésitations du narrateur qui l'invente, ne remplissent pas leur fonction. En revanche, cette même construction sur deux plans permet au romancier d'introduire dans le récit, sans autre artifice, une notion d'ambiguïté que ni le donné objectif, ni l'intrigue fictive ne comportaient en eux-mêmes. On a vu que tous les romans de Robbe-Grillet suggéraient la présence d'une énigme, offrant un noyau irréductible à l'élucidation; et on a également constaté un glissement graduel de l'origine de cette opacité vers l'intervention de l'activité humaine. Mystère policier dans les *Gommes*, frange mystérieuse d'un événement donné dans le *Voyeur*, mystère imaginaire superposé à un réel neutre dans la *Jalousie* — il y a là une érosion constante de la face équivoque du monde objectif. Dans le *Labyrinthe*, cette évolution se continue puisque le contenu concret du roman ne recèle pas d'obscurité et ne se prête même pas — à l'encontre de la *Jalousie* — à la formulation des questions par un personnage ou par le lecteur. La quête du soldat n'est ni mystérieuse ni équivoque; les incidents qui marquent son déroulement n'impliquent l'existence d'aucun secret, et la seule incertitude qui entame le récit tient à la difficulté ou à l'impossibilité de déterminer avec exactitude le degré de réalité ou la précision des détails de certains épisodes. On ne sait pas exactement si le soldat revient toujours au même réverbère; on peut discuter sur le nombre d'apparitions du garçon; on ne distingue pas clairement entre les versions que le narrateur esquisse mais abandonne et celles qu'il adopte définitivement; et, au sein de celles-ci, on confond les images dictées au soldat par son délire et les scènes qui représentent son expérience directe — toutes manifestations d'un flottement de contours qui troublent l'apparence, le mode d'être, l'ordre des éléments, mais non leur existence. En d'autres termes, la source d'ambiguïté se déplace du contenu du roman à sa forme et, plus spécifiquement, se loge dans le procédé du narrateur interposé qui, surpris en acte de création, transmet au lecteur ses propres doutes et ses incertitudes, livrant un monde incomplet et opaque par endroits. C'est parce que le récit imaginaire sort d'une imagination essentiellement libre, donc désorganisée, qu'il garde le caractère équivoque de son origine. Enfin, faisant écho à cette première intériorité trompeuse, la perspective dominante à l'intérieur du récit fictif épouse la vision subjective du soldat dont la fièvre intensifie les illusions et les hallucinations. Ici également, il s'agit d'une dénaturation inévitable de la réalité mais qui n'en affecte que l'apparence. Et, ici aussi, c'est la construction du roman qui justifie le léger embrun de mystère. Dans ce sens, la structure alambiquée du *Labyrinthe* ne sert pas seulement de miroir à l'image d'un dédale, mais donne lieu à une ambiguïté en quelque sorte « naturelle » et en tout cas bien intégrée à la vision du monde. Robbe-Grillet peut enfin se passer d'un détective (le mari jaloux, même Mathias à la recherche du temps perdu tenaient le rôle de détective) qui, par son activité orientée vers la connaissance, faisait ressortir l'opacité de la réalité; cette fois-ci le lecteur lui-même, associé par le narrateur à l'édification d'une réalité imaginaire, fait l'expérience de la résistance que tout réel, fût-il inventé, oppose au regard.

CHAPITRE VI

LES CINÉ-ROMANS:

« L'ANNÉE DERNIÈRE A MARIENBAD » (1961)

et « L'IMMORTELLE» (1963)

Dans l'œuvre romanesque de Robbe-Grillet, il est assez difficile d'assigner une place exacte aux deux ciné-romans qui s'intercalent entre le *Labyrinthe* et la *Maison de rendez-vous*. Par certains aspects, ils continuent l'inspiration des premiers romans. Par d'autres, en revanche, ils témoignent d'une rupture brusque dans l'évolution de l'auteur. On pourrait être tenté de s'autoriser de leur caractère équivoque de scénarios littéraires pour jeter le soupçon sur l'authenticité des éléments perturbateurs et, de cette manière, faire rentrer l'*Année dernière à Marienbad* et l'*Immortelle* dans le schéma d'un développement continu. Puisqu'il s'agit d'ouvrages hybrides, à la fois romans et films, utilisant les moyens romanesques pour créer une réalité cinématographique, et vice-versa, bref mêlant deux genres d'une manière dont on n'a pas encore débrouillé les dispositions internes, on pourrait en effet poser la dichotomie des deux démarches, attribuer aux considérations véritablement romanesques la continuité de la vision du monde découverte dans l'œuvre antérieure, et imputer aux préoccupations cinématographiques toutes les dérogations à cette vision. La difficulté réside dans le fait que ni *Marienbad* ni l'*Immortelle,* et chacun d'une façon différente, ne se prêtent à cette manipulation. Au contraire, le côté « ciné » contribue occasionnellement à confirmer une vision familière, tandis que le côté roman introduit des divergences.

C'est en considérant le mode sur lequel l'ambiguïté s'exprime dans les ciné-romans qu'on apprécie le mieux la complexité du problème. Il est évident que *Marienbad* et, dans une moindre mesure, l'*Immortelle,* poursuivent l'évolution qui, dans le *Labyrinthe,* aboutissait à localiser l'équivoque sur le plan de l'écriture. Non seulement ils proposent des puzzles formels au lecteur qui se perd dans l'enchevêtrement d'images et de scènes sans rapports apparents les unes avec les autres, mais ils augmentent son sentiment de désarroi par deux procédés nouveaux et foncièrement cinématographiques. D'une part, la fréquence des séquences s'accélère et la longueur de chacune d'elles diminue, de sorte qu'on n'a ni le temps d'assimiler le sens d'un épisode ni celui d'introduire l'ordre dans leur suite. D'autre part, les scènes et les images qui reviennent à plusieurs reprises — c'est-à-dire les plus significatives — ne sont pas recréées en détail, comme dans les romans, mais à peine identifiées par des rappels laconiques ou par des numéros, qui n'évoquent rien à la lecture.

Dans les deux cas, l'équivoque en profite et l'ambiguïté s'épaissit. Dans les deux cas, aussi, il s'agit clairement d'une conséquence plus ou moins inattendue du caractère scénario de ces ouvrages: car la perception visuelle d'images s'effectue avec plus de force et une capacité de rétention plus longue que la prise en conscience d'une scène décrite avec des mots, de sorte que la succession rapide d'épisodes sur l'écran apparaît au regard sous forme d'harmonies de significations qui se perdent complètement sur une page imprimée; et un instantané vu une fois reparaît dans toute son intégrité alors même qu'il n'est évoqué que par un chiffre. Si on éliminait ces contributions de la technique cinématographique, c'est-à-dire la rapidité et le laconisme des passages descriptifs, l'ambiguïté des ciné-romans au niveau de l'écriture se réduirait à la seule disparité apparente des séquences, soit au procédé de fragmentation de la réalité employé déjà dans la *Jalousie* et dans le *Labyrinthe*.

Or, sur ce dernier plan, donc dans le domaine des moyens strictement romanesques, les deux ciné-romans font preuve d'une technique et d'une construction qui, en comparaison avec les audaces des deux romans qui les précèdent directement, représentent plutôt un recul. L'ambiguïté structurelle de *Marienbad* dérive d'un système rigoureux et logique de perspectives contrastées qui rappelle les jeux de points de vue dans les *Gommes* et dans le *Voyeur*. La répétition, la modification, la reprise des scènes, les contradictions entre l'image et la voix, une certaine incohérence dans la succession des épisodes, les manifestations timides de la déchronologie — autant de conséquences naturelles de la mise en œuvre du sujet principal: l'histoire d'une persuasion d'une femme par un homme, racontée par cet homme. Il suffit de distinguer dans le désordre superficiel d'images la présence de trois plans, correspondant logiquement aux trois perspectives requises par le thème, pour que tout rentre dans l'ordre. D'abord, un plan objectif, celui de X en train de tirer de sa mémoire (sinon d'inventer, ce qui répèterait la situation du *Labyrinthe*) l'expérience passée de la suggestion; il s'y voit du dehors, ainsi que les autres personnages, et crée une réalité relativement neutre, composée d'événements concrets qui se sont déroulés à l'hôtel et qui, pour la plupart, se rapportent à l'entreprise de persuasion. Ensuite viennent les deux plans subjectifs, correspondant aux perspectives mentales de X et de A. Sur le plan de X se projettent les visions qu'il imagine en évoquant les épisodes d'une « année dernière » problématique, voire des images de ses désirs ou ses appréhensions, avoués ou tus. Sur le plan de A, parallèlement, se succèdent les visions intérieures qu'elle forme en entendant les suggestions de X, et ses propres craintes, ses propres désirs. Coïncidant en théorie, les trois plans ne peuvent se superposer dans un roman à disposition graphique traditionnelle, et la succession rapide de leurs tranches crée une impression d'équivoque chez le lecteur innocent. Mais, mis en possession de la clé de l'ouvrage, il débrouille sans trop de peine, plus aisément que dans la *Jalousie*, ce qui est imaginaire et ce qui est réel, ce qui reflète la conscience de X et ce qui reflète la conscience de A.

Le cas de l'*Immortelle* est un peu différent. Ici aussi une certaine déchronologie, une confusion du réel et de l'imaginaire, et la reprise d'images identiques ou modifiées produisent une ambiguïté formelle. Cependant, seul exemple de ce procédé dans toute l'œuvre de Robbe-Grillet, cette structure équivoque ne repose pas sur les données internes du texte mais sur un modèle d'orchestration appliqué du dehors par une décision arbitraire du romancier. Que la perspective de l'œuvre soit subjective ou objective, on y distingue sans difficulté deux parties artificielles qui encadrent deux parties consacrées logiquement à l'anec-dote: d'abord, une ouverture d'environ vingt-deux plans, présentant dans un désordre apparent (bien qu'on ait l'intuition qu'il y existe quelque harmonie thématique, affective ou visuelle) les principales images des sections suivantes; puis une narration suivie et assez chronologique des rapports des deux amants, depuis leur rencontre et jusqu'à la mort de la jeune femme (plans 23-235); puis une narration des démarches de N après cette mort, avec des évocations de L vivante au moyen d'images mentales dépourvues d'ordre chronologique (plans 236-353); enfin, après la mort de N, deux accords plaqués en guise de conclusion, deux images de L s'estompant dans le néant. Les deux partie centrales s'orga-nisent selon les exigences du sujet, leur arrangement temporel n'étant interrompu que par des manifestations naturelles de l'obsession du personnage central. L'ouverture et la conclusion, en revanche, totale-ment gratuites en termes d'intrigue, ne s'expliquent que par la recherche d'un effet esthétique structurel, pareil à celui que réalise l'ouverture d'un opéra. Il s'agit donc bien d'une construction originale, mais, comme son modèle même, pas très ambiguë malgré son caractère arbi-traire. L'incertitude qu'elle introduit dans l'esprit du lecteur ne résiste pas, elle non plus, à une lecture attentive qui en livre rapidement la clé. Bref, la part d'équivoque que l'écriture du ciné-roman doit aux moyens romanesques apparaît derechef très superficielle.

Si, par rapport au *Labyrinthe,* il n'y a donc pas progression dans le domaine de la structure romanesque conçue comme lieu idéal où se manifeste l'ambiguïté, c'est à un véritable « retour en arrière » qu'on a affaire lorsqu'on considère le rôle attribué à cette ambiguïté dans l'élaboration de l'anecdote elle-même. Il s'agit ici clairement de la vision du monde romanesque et non d'influences cinématographiques, puisque, à l'égard des significations anecdotiques, la distinction entre roman et cinéma ne semble guère s'imposer. Or, tant *Marienbad* que l'*Immortelle* — bien que dans des mesures différentes — ont à nouveau recours à des énigmes objectives, factuelles, neutres, dont on a remarqué l'élimination dans le *Labyrinthe.* Dans ce sens, *Marienbad* va moins loin que son successeur parce que sa démarche rétrograde seulement jusqu'au procédé de la *Jalousie.* Comme dans ce dernier roman, les événements neutres, donc tous les incidents rapportés sur le plan objectif de X fonctionnant en tant que narrateur, ne contiennent aucun secret; le déroulement de la suggestion suit un ordre précis et clair; mais, dans la même mesure où le jaloux incitait le lecteur à s'interroger sur le sens imaginaire attribué à une série d'incidents transparents, les deux intériorités de *Marienbad,* soit X et A, par leurs affirmations ou négations d'un passé imaginaire, conduisent le lecteur à se poser la question:

est-ce que les deux amants s'étaient rencontrés l'année précédente, ou non? Certes, Robbe-Grillet a-t-il déclaré que cette question était absurde, présupposant une réalité préexistante à l'œuvre, alors que celle-ci se limitait à « trois personnages sans nom, sans passé, sans aucun lien entre eux sinon ceux qu'ils créaient par leurs propres gestes et leurs propres voix, leur propre présence, leur propre imagination » (*ADM*, p. 11). De même, le problème de la liaison possible de A... avec Franck dépassait le cadre de la vision créatrice du mari qui seule constituait la réalité romanesque de la *Jalousie*. Dans les deux cas, cependant, l'impossibilité de donner une réponse, voire la futilité de la question, n'entraînent pas nécessairement sa négation; au contraire, irrationnelle et insatisfaite, elle se fait plus pressante, s'éternise dans la conscience du lecteur, place sous le signe de l'équivoque tout le contenu du roman.

Au reste, l'avait-il voulu, ce risque d'ambiguïté objective de *Marienbad* aurait pu être évité par le romancier si, tenant à faire l'étude d'une persuasion, il avait porté son choix sur un phénomène à suggérer dont la réalité fictive se situerait sur le même plan temporel que l'action de suggestion. Par exemple, sans que cela nécessite de grand changements à l'anecdote, X aurait pu entreprendre de convaincre A de ce qu'elle éprouvait, sans le savoir, une passion pour lui, qu'elle aspirait inconsciemment à échapper à son milieu, qu'elle nourrissait une psychose, un sentiment, un désir inavoués, etc. Dans l'absence d'indications positives de cet état imaginaire sur le plan de la narration objective, on aurait conclu sans équivoque qu'il s'agissait bien d'une suggestion gratuite, sans fondement dans la situation réelle, et il n'y aurait pas eu d'ambiguïté. En choisissant, comme objet précis du projet de X, la recréation d'événements passés, Robbe-Grillet est arrivé, au contraire, à rejeter à l'extérieur du monde romanesque donné au présent toute tentative de contrôler la réalité de la situation suggérée. Faute de possibilité d'inclure des indications objectives, il est justifié de laisser le lecteur dans un doute permanent quant aux évocations présentées par X: s'agissait-il de pure fiction ou d'un souvenir auquel A se refuse? On note, d'ailleurs, que la source de l'énigme, sinon son caractère foncier, est placée, comme dans la *Jalousie,* sur le plan de l'activité subjective du personnage. Les incidents rapportés par X n'existent pas en soi, puisqu'ils relèvent d'un passé absent, et ne prennent consistance que par ses visions et celles de A. Leur agencement, donc tous les rapports qu'ils impliquent, et, partant, ce point d'interrogation qu'ils déposent dans la conscience du lecteur, sont par conséquent soumis à l'incertitude qui entache les manifestations de l'imagination humaine. L'année précédente correspond ici à la durée mythique relevée déjà dans les *Gommes* et qui se crée à partir de l'action incompréhensible de la liberté. Il était inévitable, dans le cadre du système robbe-grilletien, qu'on y bute sur le mystère.

La présence d'un secret, à première vue objectif, dans *Marienbad* peut donc être rattachée au jeu des perspectives requises par le sujet. Il est douteux qu'on puisse invoquer la même justification dans le cas de l'*Immortelle*. Robbe-Grillet précise, dans l'avant-propos, que toute cette histoire est rapportée par un « narrateur qui ne « raconte » rien, mais par les yeux de qui tout est vu, par les oreilles de qui tout est entendu, ou par l'esprit de qui tout est imaginé » (*Im,* p. 9). On n'est pas du tout sûr que cette déclaration rende fidèlement compte de la structure du ciné-roman. Mais, même si l'on voulait s'y tenir et postuler pour l'*Immortelle* la même perspective subjective unique que dans la *Jalousie,* il resterait que le caractère des événements neutres qu'elle permet d'entrevoir diffère du tout au tout de l'aspect anodin et transparent des incidents prétendument objectifs de ce dernier roman. Dans la *Jalousie,* l'équivoque dérivait uniquement de l'obsession mentale; dans le ciné-roman, en revanche, l'ambiguïté marque directement l'ordonnance de la fatalité qui se manifeste, indépendamment de l'obsession du narrateur, par des fragments de réalité plongés dans l'obscurité. Un observateur neutre, indifférent aux sentiments violents du jeune Français qui perd une maîtresse énigmatique, ne serait pas mieux informé des raisons de sa disparition, ne comprendrait pas mieux le rôle qu'elle joue dans la société interlope de Constantinople, ne pourrait pas mieux débrouiller les fils d'une intrigue où, semble-t-il, la violence, le meurtre, l'espionnage composent à dessein une ambiance de suspense. L'*Immortelle* tout entière est en vérité placée sous le signe d'un mystère objectif, s'affirmant sur un mode objectif et se situant dans le monde objectif. Et il faut bien reconnaître que cette attitude jure considérablement avec la vision d'un univers neutre, rationnel et ordonné des autres œuvres de Robbe-Grillet. Il s'agit d'une rupture ouverte avec le passé, ou d'un mouvement rétrograde qui, remontant au delà du premier roman de l'auteur, se perd dans les limbes d'une inspiration dont on ne connaît aucune autre manifestation. Il est vrai que les *Gommes* faisaient également usage du cadre policier, d'une enquête, d'un détective qui poursuit son propre destin en croyant dépister celui d'un autre, d'une mort violente mettant un point d'exclamation à la fin du livre. Mais, mis au courant du secret depuis les premières pages, le lecteur des *Gommes* éprouvait bien que l'ambiguïté et le désordre provenaient de l'intrusion de l'aveuglement humain dans l'ordre parfait des choses, alors que, dans l'*Immortelle,* cet ordre est aussi incompréhensible que le ressort des actions humaines. Et le lecteur ne dispose d'aucun schéma qui lui permettrait d'élucider le mouvement de la fatalité. En fait, les manifestations de l'ambiguïté y trahissent indirectement une conception nouvelle, ou très ancienne, des rapports entre l'homme et le monde, et qui étend à celui-ci le caractère monstrueux, équivoque, chaotique, dont celui-là seul témoigne dans les autres ouvrages de l'auteur.

Ceci ne signifie pas que la dualité fatalité-liberté disparaisse complètement des ciné-romans. Dans *Marienbad,* elle s'exprime même d'une manière plus implicite sur le plan de l'intrigue que dans les romans qui ont suivi les *Gommes.* Il suffit de lire l'avant-propos pour s'en rendre compte. Clarifiant ses intentions, Robbe-Grillet y établit nettement une différence de nature entre le monde neutre, incarné par l'hôtel inhumain où les êtres ressemblent aux choses, et l'activité d'une conscience libre, celle de X dans ce cas, qui entend bouleverser cet ordre idéal impersonnel:

> A l'intérieur de ce monde clos, étouffant, hommes et choses semblent également victimes de quelque enchantement, comme dans ces rêves où l'on se sent guidé par une ordonnance fatale, dont il serait aussi vain de prétendre modifier le plus petit détail que de chercher à s'enfuir.

Un inconnu erre de salle en salle (...) Et voilà qu'il lui (à une jeune femme) offre l'impossible, ce qui paraît être le plus impossible dans ce labyrinthe où le temps est comme aboli: il lui offre un passé, un avenir et la liberté (*ADM,* p. 13).

On identifie immédiatement les échos des œuvres précédentes. Le labyrinthe est celui où se perdaient l'écrivain et son soldat, chacun tentant de trouver une issue à l'ordonnance de la fatalité. Et l'enchantement, le rêve auquel on ne peut échapper, renvoie au tableau des acteurs figés dans les *Gommes;* seulement, ici, l'image devient réalité, l'exception se fait loi et, au lieu de suivre mécaniquement un livret d'opéra, « les hommes asservis à la routine observent avec sérieux, mais sans passion, les règles strictes des jeux de société » (*ADM,* p. 13). Les mots mêmes dont le romancier se sert pour esquisser l'atmosphère de l'hôtel rappellent les termes du petit tableau des *Gommes:* un décor « glacé », un univers de « marbre », des domestiques aux « attitudes figées ». Cette idée reparaît au reste « en abyme » dans le texte du ciné-roman, par le truchement de brefs dialogues anonymes qui résument l'esprit de l'anecdote:

Homme. — C'est un drôle d'endroit.
Jeune femme. — Vous voulez dire: pour être libre?
Homme. — Pour être libre, oui, en particulier (*ADM,* p. 47).

Dans ce cadre inanimé, tout semble statique, les gens ne changent pas. A la voix d'homme: « Qu'êtes-vous devenue depuis tout ce temps? » répond la voix de jeune femme: « Rien, vous voyez, puisque je suis toujours la même » (*ADM,* p. 46). Même les jeux du hasard obéissent à la fatalité et M, en qui ce monde sans âme trouve son expression la plus sophistiquée, gagne toujours au jeu des allumettes. Seuls X et, peu à peu, A, introduisent de la vie et de la liberté dans ce système fermé, à mesure que l'invention de l'amant réussit à superposer sa vision passionnée au réel objectif. « Vous ne faisiez pas un geste, dit-il à A en rapportant leur première rencontre, peut-être imaginaire, l'année précédente à Frederiksbad. Je vous ai dit que vous aviez l'air vivante » (*ADM,* p. 70). Et A commence à sourire. Un devenir s'introduit dans l'être, le scandale l'emporte sur l'ordre, la liberté désorganise les règles du jeu. Car, comme Wallas, Mathias, le mari et le narrateur du *Labyrinthe,* X porte en lui l'obsession créatrice du désordre et de la vie; il apparaît, après les autres protagonistes, comme le vrai Prométhée de l'univers robbe-grilletien, celui qui anime de son imagination un monde indifférent, celui qui crée des significations nouvelles, celui qui revendique l'autonomie de l'homme à l'égard du milieu. Sans le ferment qu'il apporte à la matière endormie, il n'y aurait point de roman, pas plus que sans les divagations des autres « monstres » de Robbe-Grillet il n'y aurait point de substance aux ouvrages précédents. Ici encore, dans l'introduction, le romancier ne cherche pas à cacher qu'il attribue à l'activité imaginaire du héros, modifiant de l'intérieur les données objectives, la valeur du seul acte créateur de l'essence humaine:

Ce temps mental est bien celui qui nous intéresse, avec ses étrangetés, ses trous, ses obsessions, ses régions obscures, puisqu'il est celui de nos passions, celui de notre vie (*ADM,* p. 10).

Que l'intrigue de *Marienbad* pose ainsi à sa base la dualité homme-monde sous la forme liberté-fatalité, rien de nouveau à cela. Le rapport entre les deux plans reste celui d'altérité. Ils se touchent le long du pointillé d'intantanés qui déterminent un présent évanescent et où la réalité objective et les fantaisies de la liberté s'affrontent un moment dans la conscience du personnage — « ce film total de notre esprit »; puis, ils s'écartent et retombent dans leurs modes d'être différents. Mais, ce qui est nouveau, un certain changement s'opère à la longue dans cette situation modèle. Le monde de la fatalité s'épuise peu à peu au contact répété avec le monde imaginaire, tandis que celui-ci prend de la consistance. Eventuellement — et pour la première fois chez Robbe-Grillet — l'expression de la liberté l'emporte, du moins dans les limites de l'anecdote, sur l'ordre idéal. L'intervention de X ne sera pas dérisoire, la modification de la réalité qu'elle apporte demeurera acquise; si l'hôtel retombera dans son sommeil après le départ des amants, le schéma survivant ainsi à l'incident, l'entreprise de suggestion aura réussi dans les bornes qu'elle s'imposait et A s'arrachera à la fatalité. Venant après un roman particulièrement gratuit, fondé sur le projet arbitraire d'une imagination créatrice en mal de sujet, *Marienbad* lui fait contraste par le caractère éminemment pratique, presque engagé, de son action; et le pessimisme extrême du *Labyrinthe* fait place à un optimisme de conte de fées. Vue sous cet angle, l'histoire de X et de A est celle de la Belle au Bois Dormant, où la soumission à l'ordre des choses remplacerait le sort jeté par la méchante fée.

Doit-on en déduire une évolution de la conception du monde de Robbe-Grillet? Un glissement vers la glorification de l'énergie, une affirmation de l'emprise de l'homme sur l'univers, bref un retour vers une vision balzacienne? Ou encore quelque sacrifice au goût du grand public, celui du cinéma, qui préfère des fins heureuses? Les deux hypothèses semblent également douteuses. D'abord, rien n'indique, dans les écrits théoriques de Robbe-Grillet, qu'une volte-face si radicale se soit produite dans les opinions du romancier au moment où il composait *Marienbad*. Il insiste bien, vers la même époque, sur la prééminence du facteur humain dans ses romans, mais n'atténue en rien son opposition de principe à toute anthropomorphisation du monde. De plus, dans l'*Immortelle,* le pessimisme reprend ses droits et la fatalité l'emporte derechef sur la liberté. Enfin et surtout, dans *Marienbad* même, Robbe-Grillet prend soin d'introduire une fatalité structurelle qui, tel le donné postulé par le narrateur du *Labyrinthe,* dispose, selon un ordre idéal et préfixé, les résultats concrets, sur le plan de l'anecdote, de l'épreuve de force entre l'imagination créatrice de l'homme et la résistance d'un monde indifférent. Pour y arriver, il a de nouveau recours à l'emploi d'un modèle en « abyme » qui, comme une maquette, annonce le destin de l'œuvre.

Au mythe d'Œdipe, à la légende de l'île, au chant du deuxième chauffeur, au tableau pendu au mur correspond ici la petite pièce jouée par les comédiens de l'hôtel. A peine la voix *off* est-elle identifiée comme celle du personnage principal, narrateur et protagoniste à la fois, qu'un transfert se produit, au moyen d'un simple changement d'intonation dans le flux ininterrompu de paroles, entre cet X encore inconnu et l'acteur sur la scène; celui-ci reprend, résume, achève le propos de X, et la comédienne lui répond, juste avant que le rideau tombe: « Je suis à vous » (*ADM,* p. 31). La fin de la pièce fictive correspond ainsi au dénouement du ciné-roman dont elle reflète le contenu. Le modèle donne la clé de l'ordonnance idéale du récit, rejette dans le domaine de la nécessité l'aboutissement du déroulement détaillé des événements neutres. Les personnages de *Marienbad,* selon le degré variable de liberté auquel ils atteignent, peuvent s'écarter du schéma prédéterminé, manifester leur soumission à l'arrangement de la fatalité ou tâcher d'y apporter une désorganisation temporaire, le destin prescrit finira par l'emporter, dans les dernières pages, quand les deux amants quitteront l'hôtel, donc quand s'accomplira le sort annoncé à l'issue de la pièce.

En revanche, comme on l'a constaté pour les autres ouvrages de Robbe-Grillet, ce sont précisément ces manifestations velléitaires de la liberté qui font le prix du ciné-roman et non les grandes lignes de la nécessité. On s'émeut peu de ce que X soit parvenu à persuader A de le suivre, d'autant plus qu'on sait d'avance qu'il y arrivera; mais on suit pas à pas, et avec intérêt, la manière dont cette persuasion s'effectue, les inventions de l'homme, les résistances de la femme, la complicité fataliste des autres. X projette des images, certaines osées, d'autres idylliques; il progresse, recule, fait fausse route; il reconnaît: « Non... Ce n'était pas ça... » quand le rire de A indique qu'il dévie trop du texte prescrit — et la fatalité prend corps, l'œuvre de persuasion se crée devant nos yeux. Au fond, on revient à la situation du *Labyrinthe* où la création littéraire se faisait par tâtonnements et hésitations d'une liberté aux prises avec des éléments donnés. La suggestion de A par X, conçue dans cet espirt, est, elle aussi, une œuvre d'art, dont l'achèvement exigeait un *happy end.*

Que cette fin heureuse ne représente pas une décision arbitraire du romancier mais s'impose dans le cadre de la fatalité structurelle, on peut d'ailleurs en faire la preuve par l'absurde. Pour qu'il y eût fin triste, donc pour que, sur le plan de l'anecdote, l'ordre l'emportât sur la liberté avec la même rigueur que dans les autres romans de l'auteur, il aurait d'abord fallu que X échouât dans son projet et que A refusât de se laisser persuader et de le suivre. Bien qu'elle mette en cause le sujet même de l'œuvre, qui serait devenu l'histoire d'une suggestion manquée, donc d'une suggestion imparfaite, au lieu de présenter, comme le bon sens le voudrait, une forme accomplie d'une activité humaine, cette première modification n'aurait pas comporté de difficultés spéciales. Il aurait suffi d'augmenter le décalage entre les paroles et les visions de l'homme et les images mentales correspondantes de la femme, et de changer le dénouement. Il aurait aussi fallu, pour conserver le rapport structurel entre le déroulement de l'histoire et son modèle en abyme, faire dire à la comédienne « Pars seul » ou « Je reste » ou toute autre phrase résumant et annonçant la nouvelle fin du roman. Là encore, point de difficulté. En revanche, il semble bien que la mise en œuvre concrète de cette fatalité structurelle négative, donc la démonstration de la manière d'arriver à un échec prévu par la pièce au début du ciné-roman, aurait présenté un problème insoluble dans le système de Robbe-Grillet: car comment montrer le mouvement de va-et-vient entre le désordre de l'activité humaine (comportement de X et de A) et les repères stables du donné (résultat de la pièce), si ce donné se définit comme une absence d'effets et si cette activité doit lui faire contraste par la solidité de ses manifestations? Dans le texte, X et A se révélaient humains chaque fois que leur imagination déréglée dérogeait à la manière prescrite d'arriver à un résultat donné à l'avance, et devait être ramenée à l'ordre; mais si ce résultat avait consisté en un échec, il aurait existé une infinité de manières d'y arriver, et non un seul schéma nécessaire; le destin lui-même se serait placé sous le signe du désordre, et la seule façon d'y déroger, soit de prouver son humanité en se livrant à des manifestations indisciplinées de l'imagination, ce serait, paradoxalement, de faire voir une activité ordonnée. C'est en suivant rigoureusement un plan idéal de la suggestion que X et A auraient introduit la désorganisation dans l'univers; c'est en laissant libre cours à leurs impulsions irrationnelles qu'ils auraient respecté l'ordonnance rationnelle du monde. En d'autres termes, la démonstration de l'accomplissement de la fatalité dans *Marienbad* dépendrait de l'affirmation de la liberté des personnages, ce qui est contradictoire. Pour reprendre l'analogie avec le *Labyrinthe,* on y arriverait au même paradoxe si le narrateur de ce roman, après avoir conçu le tableau et la boîte comme repères nécessaires de son invention, s'appliquait à démontrer qu'il n'en tient aucun compte. Dans les deux cas, la fatalité structurelle s'effondrerait. En introduisant un modèle en abyme dans *Marienbad,* donc en proclamant, sur le plan de l'écriture, la priorité de la fatalité sur la liberté, Robbe-Grillet se privait du libre choix de la fin de l'anecdote: il fallait que le déroulement de l'action dans le temps neutre aboutît à un effet positif, concret, consistant, par lequel l'accomplissement du destin puisse être jugé. Tel l'assassinat de Dupont. Ou le meurtre de Jacqueline Leduc. Ou la gamme complète des souffrances du mari jaloux. Ou l'histoire achevée du soldat. Ou le départ de A avec X.

Il ne faut pas chercher plus loin l'explication du caractère superficiellement optimiste de *Marienbad.* Le sujet l'a dicté. La transcription romanesque de la suggestion ne pouvait proposer qu'une suggestion réussie. Il est indifférent de savoir dans quelle mesure ce résultat provient d'une décision consciente du romancier réfléchissant sur la manière d'aborder son travail, ou d'une démarche instinctive. Il suffira de remarquer que, dans le cadre d'une vision du monde essentiellement inchangée, Robbe-Grillet aperçoit apparemment la possibilité des manifestations de la liberté qui accomplissent leur destin en étendant le domaine humain aux dépens de celui des choses neutres. L'acteur du petit tableau des *Gommes,* qui s'éveille soudain à sa liberté d'homme, c'est peut-être l'activité nécessaire d'un X quelconque qui l'a ainsi arraché à la passivité. On y reviendra en étudiant les rapports que les personnages de Robbe-Grillet entretiennent entre eux, et en examinant leur influence sur la vision du monde de l'auteur. En revanche, il importe d'indiquer si cette victoire de l'homme sur les choses présente quelque garantie de permanence. L'acteur dans les *Gommes* retombait immédiatement dans son rôle. Et A? Est-elle soustraite pour de bon à l'automatisme, ou ne fait-elle que troquer une certaine servitude contre une autre, entrevue au tournant, et aussi mécanique dans son déroulement? L'image finale du parc, lieu, semblait-il, de la liberté en opposition avec le monde figé de l'hôtel, est assez ambiguë à cet égard:

> Il semblait, au premier abord, impossible de s'y perdre... au premier abord... le long des allées rectilignes, entre les statues aux gestes figés et les dalles de granit, où vous étiez maintenant déjà en train de vous perdre, pour toujours, dans la nuit tranquille, seule avec moi (*ADM*, p. 172).

De toutes manières, optimisme voulu ou inconscient, concours heureux de la fatalité et de l'expression de la liberté ou leurre de celle-ci, l'atmosphère de *Marienbad* ne survit pas dans l'*Immortelle,* qui verse dans le noir dans la même mesure que son prédécesseur touchait au rose. Dans l'œuvre romanesque de Robbe-Grillet, il n'y a guère que le *Labyrinthe* qui puisse lui être comparé par son ambiance à la fois pathétique et tragique. Mais, s'il existe une certaine filiation de tonalité entre ces deux ouvrages, l'aspect dramatique du ciné-roman paraît plus authentique du fait qu'il s'épanouit sans être atténué par des précautions structurelles. L'histoire sombre du soldat était présentée délibérément comme une construction gratuite de l'esprit, une fiction pourvue d'une charge affective indiscutable mais dont le caractère illusoire était souligné à maintes reprises, mettant le lecteur en garde contre son pouvoir incantatoire. Dans l'*Immortelle,* au contraire, une certaine nuance de vérisme invite à faire prendre au sérieux tout ce qui y arrive. Certes, dans les notes préliminaires, Robbe-Grillet tente de réduire à l'expérience et à l'imagination de N toute la réalité de l'histoire, suggérant que le personnage y joue le même rôle de démiurge que le narrateur du *Labyrinthe;* mais la mise en œuvre concrète du ciné-roman ne tient pas compte de cette fonction créatrice, relègue le protagoniste au statut de simple personnage, privilégié par rapport aux autres parce qu'il se trouve presque constamment au centre ou à l'origine des images, mais néanmoins sujet et non source de l'anecdote. Le premier et le dernier des mouvements du montage qui imbrique les éléments objectifs et subjectifs de l'*Immortelle* en quatre parties distinctes, montrent bien qu'une volonté extérieure au monde romanesque est intervenue dans son arrangement, puisque seul un auteur placé en dehors de l'œuvre et de son système temporel a pu tirer, du corps du texte, des fragments de la réalité, et les reproduire, en guise d'ouverture, au début de la narration, ou, en guise d'un rappel mélancolique mais gratuit des sentiments d'un personnage supposé mort, en conclusion du livre. Le fait même que N meure et qu'on le voie mourir réfute l'hypothèse selon laquelle l'*Immortelle* ne serait qu'un produit artificiel de son activité imaginaire. Certes, l'assurance qu'en donne Robbe-Grillet peut se défendre sur le plan théorique, dans le sens que l'ouvrage tout entier pourrait, à la rigueur, représenter une création fictive de N, qui mélangerait souvenirs et visions en un tout artistique, inventerait gratuitement sa propre mort, livrerait l'ensemble sous forme d'un produit fini à l'esthétique artificielle. Mais ce N romancier ne serait plus le N qui s'anime dans la réalité romanesque, soit un narrateur pourvu d'une présence reconnaissable, mais un N désincarné, anonyme, indépendant du texte, bref un N qui pourrait s'appeler Robbe-Grillet. En fait, la mention du rôle créateur de N dans les notes préliminaires, au lieu de souligner le caractère fictif du récit, contribue au contraire à donner une authenticité plus grande à l'histoire, en établissant un rapport entre protagoniste et romancier auquel on n'aurait pas songé autrement.

Par ailleurs, les deux parties centrales, bien qu'elles soient complètement centrées sur N, donc vues dans la perspective subjective d'un seul personnage, ne montrent nullement la dénaturation de la réalité par une conscience maladive, comme c'était le cas dans le *Labyrinthe,* dans la *Jalousie* ou dans certains passages de *Marienbad.* Dans l'*Immortelle* il s'agit clairement de la chronique d'une expérience objective, comprenant à la fois des événements purs et des souvenirs qui viennent hanter le personnage sous forme d'images mentales tout à fait rationnelles. Tout y est définitif, sans bavures, sans reprises, sans hésitations, sans modifications, sans éléments fantastiques; l'imagination n'y a guère part, la fonction du narrateur s'effondre, rien ne vient s'interposer entre l'impression de la vérité du récit et la conscience du lecteur. On peut douter de la réalité de l'histoire dans la mesure où l'on peut mettre en question la véracité de toute œuvre romanesque — et l'artifice structurel de l'ouverture et de la conclusion rappelle qu'on a bien affaire à un roman — mais, dans l'ensemble, le déroulement chronologique et logique des scènes suggère un monde authentique, à peine retouché par le romancier. S'y ajoute encore l'impression produite par le vérisme du décor qui, pour la première fois chez Robbe-Grillet, renvoie explicitement à un lieu géographique réel, préexistant à l'œuvre. Le romancier a beau insister à plusieurs reprises sur la « fausseté » de ce Constantinople pour touristes, la caméra ne ment pas et le lecteur du ciné-roman fait confiance à l'image visuelle évoquée par ces indications techniques et illustrée par des photos; il s'agit bien de la réalité, donc des personnages qui emportent l'adhésion du lecteur.

D'où, la force du sentiment tragique. Car c'est bien un drame que raconte Robbe-Grillet dans l'*Immortelle* — un drame qui s'élabore à la faveur de toutes les entorses aux procédés habituels de l'auteur. Nous avons déjà noté le glissement de l'ambiguïté du domaine subjectif au domaine objectif, de sorte que non seulement l'intervention humaine mais l'ordre même du monde apparaît incompréhensible, monstrueux, scandaleux, menaçant. On a vu que le vérisme du décor et la neutralité de la perspective contribuent à plonger l'intrigue dans une ambiance d'authenticité « réaliste ». Enfin, la trame elle-même élève le ton affectif du récit par son parti pris de tension et de tragédie. Ce qui aurait pu n'être qu'une « brève rencontre » entre un professeur français détaché à Constantinople et une jeune femme fuyante, aimée puis perdue, se dramatise en une sombre histoire de passion fatale où, dans un climat d'angoisse, l'amant suit sa maîtresse dans une mort violente. Coupable, par une agitation imprudente et anormale, de causer le premier accident mortel, ses hallucinations le poussent à un châtiment commensurable qui met fin à son existence dans des circonstances identiques. Au reste, s'agissait-il vraiment d'accidents? Ou de suicides? Ou d'attentats criminels? De toute manière, la fatalité prend un masque cruel et les deux chiens infernaux qui servent ses desseins apparaissent comme des messagers atroces du destin.

Or, le caractère tragique de la destinée des deux protagonistes n'était pas donné par une nécessité extérieure à leur liberté. La mort de N et de L ne peut être comparée aux fins violentes des *Gommes* et du *Labyrinthe,* voire au crime du *Voyeur,* inscrits à l'avance, bien que de manières différentes, dans le schéma des choses. Si la rencontre entre les deux amants avait suivi le cours routinier de ce genre de liaison, son issue se serait fondue tout naturellement dans l'ordre du monde, sans laisser de traces de son existence. La tragédie, et le ciné-roman qui lui sert de véhicule, proviennent au contraire d'une intervention imprévisible de la liberté du protagoniste, des manifestations de son obsession déraisonnable, de son refus de jouer le jeu. C'est lui, le principe irrationnel à l'origine du dérangement de la nécessité, le facteur irréductible qui bouleverse les usages et le modus vivendi d'une vieille société. A cet égard, on n'a peut-être pas assez souligné le parallélisme entre la situation fondamentale de *Marienbad* et de l'*Immortelle*. Le milieu défini par Constantinople, dont Robbe-Grillet donne une image volontairement artificielle, faite d'aspects trompeurs, de stéréotypes et de clichés, correspond par son côté « verni » à l'hallucinant hôtel baroque du premier ciné-roman; et, sur le plan de l'intrigue, il se dévoile, lui aussi, comme le lieu de la fatalité et de l'automatisme, un exemple de plus d'un monde figé. Le jeune Français, étranger par excellence, vient y jeter le scandale par l'exercice naturel de son activité d'homme libre. Il n'a pas besoin, comme X dans le film, d'un accent spécial pour se distinguer de son milieu; sa nationalité suffit; mais son entreprise, tout inconsciente qu'elle soit de son but ultime, répète celle de son prédécesseur. En effet, lui aussi cherche à arracher L à l'emprise d'une société qui la tient dans un état de somnolence, d'acquiescement à un rôle d'objet. Ce n'est pas par hasard que L apparaît souvent parée de chaînes, ni seulement par fidélité à certaines images érotiques chères à l'auteur. Il s'agit de chaînes que lui impose un milieu où les femmes sont considérées comme « à la fois des êtres inférieurs et des démons (...) ne bonnes que pour faire l'amour » (*Im,* p. 62). Le propos de N, à travers son amour, c'est, au fond, de libérer L, de l'éveiller à une existence humaine.

L'analogie entre les deux ciné-romans se limite pourtant à l'énoncé des données. X réussissait dans son projet, N échoue dans le sien. A cet égard, il est évident que cet échec représente la victoire de la fatalité sur la liberté, dans le sens que le scandale se trouve physiquement éliminé et que le milieu reprend son cours routinier. Mais cette victoire de l'ordre, à l'encontre de toutes celles qui, auparavant, reposaient sur l'inévitabilité d'un retour automatique à un schéma idéal, se fait elle-même dans le désordre, par le truchement d'une intervention passionnée du milieu. Les autres personnages de Robbe-Grillet, quand ils butaient sur l'ordre, voyaient leurs efforts s'émousser contre l'indifférence d'une nécessité supérieure qui, à la limite, dictait leurs propres gestes ou s'exprimait au moyen d'événements neutres; mais N et L subissent un véritable choc en retour, dirigé spécifiquement contre eux et faisant, lui aussi, exception à la réalité quotidienne. Par cette réaction dramatique, se confirme d'ailleurs le caractère monstrueux et incompréhensible du monde, impliqué déjà par l'existence d'un mystère objectif. Il y a victoire de la fatalité, mais d'une fatalité presque humaine elle-même, marquée par le flottement et l'obscurité de ses desseins: une fatalité liée étroitement au mouvement des passions qui l'entament et en éprouvent le contre-coup. Bref, si la dualité fatalité-liberté subsiste, son caractère s'altère dans le sens d'une interaction touffue et hargneuse, d'un corps à corps où les deux domaines ne se distinguent plus bien l'un de l'autre, et où l'homme et le monde, bien qu'opposés d'une manière tragique, se rejoignent en une même substance. On est loin de la vision du monde offerte ailleurs par Robbe-Grillet.

Corollaire de cette manifestation active de la fatalité anecdotique, l'échec de N ne signifie pas automatiquement l'exclusion de toute fatalité structurelle, en vertu de la contradiction notée à propos de *Marienbad*. Le dénouement de l'*Immortelle,* tout tragique et pessimiste qu'il est, se résume en un événement concret, en quelque sorte positif, et non en l'absence d'un résultat. N n'échoue pas dans des circonstances indifférentes qui, par leur passivité, admettraient mille façons possibles de faillir; les conditions dans lesquelles il manque son but déterminent, au contraire, une pression constante et précise qui délimite, au point de rencontre avec ses propres agissements, un dessein unique du destin. Un seul déroulement de l'action pouvait accomplir la fatalité du récit, quels que fussent les efforts des protagonistes de l'éviter; c'est en vain que L cherche à fuir N quand elle devine instinctivement la fin de leur aventure; et cette fin, ces fuites, cette disposition d'événements nécessaires auraient pu donner lieu à un modèle structurel.

Il est d'autant plus remarquable que la leçon inattendue de l'anecdote de l'*Immortelle* ne soit guère rectifiée par un enseignement plus orthodoxe placé au niveau de l'écriture, dissimulé dans la structure ou mis en évidence dans un tableau en abyme. En contraste avec *Marienbad,* où la conquête troublante de la fatalité par la liberté était compensée par sa propre réflexion dans un schéma préexistant et rappelé par de nombreux échos intérieurs, le second ciné-roman ne contient, en dehors des significations anecdotiques, qu'une seule et brève indication formelle de la forme finale du destin: la mention rapide d'un crissement des freins, « suivi aussitôt par un hurlement de femme, coupé net par le choc d'une voiture en pleine vitesse contre un obstacle » (*Im,* p. 14). Cette évocation d'un accident, placée tout au début de la séquence d'ouverture, annonce bien l'issue fatale de l'aventure, tout comme les autres éléments de cette partie posent les jalons du chemin qu'elle va suivre. Mais ces repères se présentent dans le désordre, sans qu'on puisse y retrouver un plan quelconque, et l'inévitabilité de l'accident, à peine effleurée, est esquissée d'une manière trop fugace, trop gratuite pour marquer dans la conscience du lecteur un point de référence aux événements à suivre. Il est même douteux que le souvenir de cette allusion survive à la lecture totale du ciné-roman et permette, par un retour en arrière, l'identification d'une fatalité *post hoc ;* ce n'est qu'en reprenant et pesant le texte qu'on en apprécie toute la portée. Au reste, cette remarque vaut pour l'ouverture tout entière, qui aurait pu jouer le rôle du donné neutre dont les épisodes ultérieurs viendraient remplir les interstices, comme dans les quatre premiers romans de Robbe-Grillet, et qui pourtant ne réussit qu'à donner un avant-goût de l'expérience d'un univers intégralement chaotique, élément homme et élément monde mis sur un pied d'égalité.

Cet effet, a-t-il été voulu par l'auteur? Ou convient-il de parler d'un résultat accidentel, allant à l'encontre des intentions de Robbe-Grillet qui, ici comme ailleurs, avait bien cherché par un artifice technique à poser, dans la première partie, un schéma idéal de l'action, mais n'y était pas parvenu? Ou encore s'agirait-il de tout autre chose, par exemple d'un souci de construction symphonique de l'œuvre, amenant, par hasard, le jeu de réflexion du tout dans une partie? Quoi qu'il en soit, l'*Immortelle* apparaît comme la première (et jusqu'à présent la seule) œuvre de Robbe-Grillet où l'écriture elle-même se place sous le signe de l'indétermination.

On peut reprendre la question: y a-t-il une évolution dans la vision du monde de Robbe-Grillet? Un assouplissement du système rigide qui postule un rapport d'indifférence entre la fatalité ordonnée du monde et la liberté incohérente et dérisoire de l'individu? Une pénétration réciproque des deux domaines? Une contamination de la nécessité par la désorganisation et par la violence des passions humaines? Ou, plus simplement, faut-il mettre sur le compte du caractère cinématographique des ciné-romans, sans essayer de déterminer la manière dont s'exerce cette influence, les déviations de la ligne strictement suivie dans les romans? En tout état de cause, et vu le retour aux procédés familiers dans la *Maison de rendez-vous,* a-t-on droit à mettre en parenthèse *Marienbad* et, surtout, l'*Immortelle*? Si l'on penche vers cette solution, c'est qu'on est frappé par un parallélisme remarquable entre l'influence croissante de l'élément « ciné » de ces deux ouvrages et leurs dérogations aux lois générales de l'univers robbe-grilletien. Dans le premier ciné-roman, il convient de parler de certaines tendances originales et des altérations fragmentaires plutôt que d'une refonte significative de la vision du monde. Or, *Marienbad* a été conçu et écrit par un homme qui n'avait jamais fait du cinéma et qui, pour la mise en scène de son texte, s'en remettait à un professionnel de réputation considérable; le texte livré au lecteur représente ainsi la forme première et innocente de l'œuvre, où les éléments littéraires se développent en toute liberté. L'*Immortelle,* en revanche, où le bouleversement des attitudes et des structures prend des proportions radicales, a été envisagée dès son origine en fonction du film que l'auteur lui-même devait tourner; plus conscient déjà des exigences du cinéma, engagé personnellement dans la mise en scène, il était logique qu'il donnât le pas aux éléments cinématographiques sur les données littéraires. De plus, le texte imprimé ne restitue plus le scénario original mais, de l'aveu même de l'écrivain, fait état des modifications apportées durant les prises de vues. Dans ces conditions, il devient logique que le second ciné-roman propose un message romanesque corrompu, dont l'importance ne peut être comparée au poids des significations contenues dans les romans authentiques. Assurément, tout comme *Marienbad,* il comporte une certaine vision du monde et, dans une étude de l'univers de Robbe-Grillet, il faut tenir compte de sa contribution, signaler ses particularités et ses singularités. Il se peut qu'elles reparaissent un jour sous une forme moins discutable. Mais, en attendant, une mise en parenthèse discrète permet de préserver une continuité dans l'élaboration de la vision du monde du romancier, d'autant plus que son roman le plus récent reprend les enseignements recueillis des *Gommes* au *Labyrinthe*.

Il serait assez facile de faire la preuve que le recueil des *Instantanés* (1962), qui s'intercale entre les deux ciné-romans, constitue, lui, l'arche bien valable du pont qu'on peut jeter du *Labyrinthe* à la *Maison de rendez-vous*. Mais les textes qu'il rassemble s'échelonnent de 1954 à 1962, soit sur une durée qui leur enlève tout caractère d'œuvre concertée, qu'on pourrait juger sur une impression totale. Or, pris à part, ce ne sont que des instantanés, des écrits précieux pour qui cherche les secrets du style de Robbe-Grillet, des sources intéressantes de certains thèmes dominant dans son œuvre, des esquisses des travaux plus considérables, des aperçus souvent riches de la manière dont le romancier voit et décrit des aspects isolés du monde ou des comportements humains, mais point ouvrages réellement romanesques où une vision du monde pourrait s'inscrire dans l'épaisseur de l'anecdote ou dans l'arrangement complexe des structures. On fera appel aux *Instantanés* pour illustrer telle attitude humaine ou tel caractère de l'univers des choses qui font partie essentielle de cette vision du monde, mais il semble inutile et hors propos de leur consacrer une étude séparée.

CHAPITRE VII

« LA MAISON DE RENDEZ-VOUS » (1965)

Six ans séparent la *Maison de rendez-vous* du *Labyrinthe* : six ans, deux scénarios, et la distance entre un drame et un divertissement. On a pu parler d'une nouvelle « période » qui s'ouvrait pour l'écrivain, ou, tout au moins, d'une bifurcation dans le chemin suivi auparavant. Il est vrai que cette histoire haute en couleur d'aventures imaginaires qui se déroulent dans un Hong Kong digne d'un journal de dimanche et où la sensualité et la bonne humeur affleurent à tout moment, fait entendre un ton assez nouveau dans l'œuvre de Robbe-Grillet: c'est léger, c'est amusant, c'est titillant, c'est même un peu gothique mais sans se prendre au sérieux. On a l'impression que l'auteur s'est beaucoup distrait à l'écrire et que, tout à la joie de cette création farfelue, il a laissé vagabonder son inspiration au gré d'une humeur fantasque, jonglant avec images exotiques, scènes érotiques, épisodes sadiques, fragments d'intrigue policière, espionnage, trafic de drogue, assassinats, soirées mondaines, représentations théâtrales, pérégrinations nocturnes, bref tout l'attirail abracadabrant d'un roman d'aventure épicé où les choses, pour une fois, ne jouent qu'un rôle secondaire et d'où la solennité a été bannie au profit d'un mélange d'ironie et de fantastique.

De plus, ces ingrédients disparates semblent se disposer en toute liberté, dans une anarchie complète des coordonnées temporelles, géographiques ou causales, déchiquetées et brassées ensemble de manière à interdire une reconstitution logique d'une intrigue dont le fil, tant bien que mal suivi, permettait d'y voir plus clair dans les autres œuvres de l'auteur. On a comparé les *Gommes* au serpent Ourobos qui se mord la queue ; dans la *Maison de rendez vous,* avec sa multiplicité de séquences parallèles, circulaires, contradictoires, grouille une infinité de petits serpents gnostiques qui se ressemblent, se substituent l'un à l'autre, se chevauchent l'un l'autre, font et défont des figures plus vastes d'un mouvement continu. Le réel et l'imaginaire, le présent et le passé, le vrai et le faux, la cause et la conséquence, l'état premier, l'état second, l'état dernier, se mêlent dans une ronde sans temps ni mesure. En somme, dirait-on, le chaos parfait, le « gommage » de tous les sens qu'on a pu prêter à l'œuvre du romancier, le roman de la négation, de l'écriture pure.

Il n'en est rien. En fait, de tous les romans de Robbe-Grillet, la *Maison de rendez-vous* est peut-être celui qui témoigne du plus grand souci de structure et de précision dans le détail. Une lecture attentive permet d'y relever plusieurs séries d'éléments stables qui, s'emboîtant l'une dans l'autre, assurent une direction et un sens à cette explosion de liberté créatrice et font entrevoir, dans son apparent désordre, les lignes de force d'une vision du monde aussi rigoureuse que dans les autres œuvres. Cet effet paradoxal, le fait que ce livre récent n'a pas encore été l'objet d'études approfondies et que le dernier mot d'un auteur se trouve toujours nanti d'une signification spéciale par ce qu'il confirme ou récuse des éléments acquis — autant de raisons de prêter une attention particulière à l'agencement de ce roman et aux renseignements qu'on peut en tirer.

Pour ce faire, peu importe par quel côté on entreprend l'examen du système des repères structurels qui composent la charpente essentielle de l'œuvre, car tout se tient et l'on glisse automatiquement d'un réseau à l'autre. L'aspect ironique du roman incite à considérer d'abord une série de références aux autres ouvrages de l'auteur, que presque tous les critiques ont signalée mais qu'ils l'attribuent à une volonté de parodie ou de badinage alors qu'elle sert aussi d'élément architectural à l'édifice romanesque.

De fait, dans cette « maison » imaginaire, se sont donné « rendez-vous » les thèmes, les personnages, les procédés qui, des *Gommes* à l'*Immortelle,* s'étaient succédé dans l'univers d'Alain Robbe-Grillet. Leur retour s'effectue en général sous la forme d'allusions rapides, d'images qui en suggèrent d'autres, des rencontres qui confinent à la coincidence et dont seules la fréquence et la consistance révèlent le caractère concerté. Ainsi, pour les *Gommes:* groupes sculptés, débris flottants, gommes, légende mythologique, un nom propre (Marchat), enquête policière; pour le *Voyeur:* cordelettes, anneaux, victimes écartelées, méprises sur l'identité et sur les noms, un nom propre (Jacqueline), cadre insulaire, technique de la reconstruction d'un emploi du temps; pour la *Jalousie:* végétation luxuriante, bruit des insectes, jalousies, exotisme, gommages, contradictions internes, indigènes incompréhensibles; pour le *Labyrinthe:* paquet mystérieux, rideaux de velours, déambulation à travers la ville, entrées sombres des maisons, reprises de la narration, utilisation des narrateurs interposés, procédé du récit dans le récit; pour *Marienbad:* architecture baroque de l'édifice et des jardins, pièces de théâtre en abyme, fragments de dialogue et gestes figés (surtout de l'héroïne), sculptures, bris de verre; pour l'*Immortelle:* jarretelles, guêpières, exotisme, initiale de l'héroïne, passage en bateau, une part de l'atmosphère du « décor bien connu » que l'auteur se dispense de refaire et, bien entendu, chiens féroces. On pourrait multiplier ces exemples, noter que la « Chambre secrète » des *Instantanés* reparaît dans une image centrale du roman, que la scène d'opéra interrompue des *Gommes* se retrouve presque identique dans la description d'un orchestre de chambre, etc. Mais il ne s'agit, dans tous ces cas, que de clins d'œil préparatoires qui amènent une œillade beaucoup plus appuyée et beaucoup plus lourde de signification: l'apparition d'un groupe de statues qui renvoient *in toto* aux ouvrages précédents du romancier ou à leurs thèmes caractéristiques et, par la même occasion, engagent le sens de son œuvre tout entière à travers leur fonction structurelle dans la *Maison de rendez-vous.*

66

En premier lieu, particulièrement explicite, peut-être pour initier le lecteur, il y a « L'Appât » — fillette dénudée et liée, livrée à un tigre, tandis que le chasseur, tenant une bicyclette au lieu d'un fusil, la regarde avidement: rappel évident du *Voyeur;* puis viennent, sans ordre précis et sans autre identification que leur titre, « Les Chiens » qui font écho à l'*Immortelle,* « L'Esclave » qui pourrait convenir à la description d'un jaloux enchaîné par sa passion mais rappelle aussi « La Chambre secrète », « La Promesse » où l'on retrouve facilement le *Labyrinthe,* « La Reine » qui évoque le mythe d'Œdipe et par conséquent les *Gommes,* « L'Enlèvement » auquel on associe *Marienbad,* « Le Chasseur », soit l'homme aux aguets de la *Jalousie,* ou encore un détective, un ravisseur de femme, un obsédé lâché sur une île, enfin « La Mise à mort » — miroir de la *Maison de rendez-vous,* sinon de trois autres romans. Qu'un certain flottement subsiste, que certaines figures impliquent des rappels à plusieurs thèmes à la fois, n'enlève rien à la fonction réfléchissante de l'ensemble de ces statues à l'intérieur du roman. Au reste, le narrateur indique qu'il les connaît bien, et depuis longtemps. Or, leur position centrale dans le texte du roman, accentuée par un groupe similaire placé dans le jardin de Tiger Balm, puis par un jeu parallèle de statuettes en ivoire, et soulignée par la reprise systématique des allusions plus rapides aux thèmes et aux images présentes dans les œuvres déjà existantes, fournit une première indication (ou une preuve supplémentaire, si on a entrepris cette analyse par un autre côté) du caractère éminemment organisé du chaos apparent de la composition, encourage à pousser plus loin la recherche du sens de ces rappels si insistants.

L'effet ironique d'un système de rimes intérieures, même si on l'élève au niveau d'une fonction structurelle, n'épuise pas l'enseignement à tirer de ce groupe de statues. En précisant qu'elles composent « les épisodes les plus fameux de l'existence imaginaire de la princesse Azy » (*MR,* p. 57), Robbe-Grillet leur attribue également le rôle d'une figuration en abyme du roman qui se fait. Eléments d'une vieille légende orientale, comparable à l'histoire d'Œdipe et au cycle d'Andromède entrevu dans le *Voyeur,* elles esquissent en filigrane un plan de l'ouvrage. Car, si chacune de ces figures fait écho à certains thèmes passés, elle annonce ou résume aussi un des motifs dominants de la *Maison de rendez-vous,* une de ces scènes clés auxquelles le romancier revient obstinément, qu'il reprend, multiplie, modifie et replace au sein de l'œuvre. Ainsi « L'Appât » est évoqué chaque fois que l'un des personnages — surtout le narrateur ou Edouard Manneret, acteur et voyeur en même temps (un peu comme Mathias) — se complait à surveiller les membres tordus d'une jeune femme livrée au supplice; « Les Chiens » renvoient aux passages innombrables centrés sur le chien noir de la servante eurasienne; « L'Esclave » se laisse deviner dans la triple série de séquences parallèles où Kito, Kim et Lauren apparaissent dans des rôles de subordination à nuance sexuelle; « La Promesse » reflète les engagements pris par Johnson; « La Reine » c'est sans doute Lady Ava elle-même dans ses diverses attitudes de souveraine; « L'Enlèvement » rappelle celui de la petite Japonaise; « Le Chasseur » s'incarne dans l'assassin protéen; et « La Mise à mort » s'applique au roman tout entier, mais plus spécifiquement aux plusieurs versions de la mort d'Edouard Manneret, à la fin de Georges Marchat, à certains tableaux érotiques, voire au concours de circonstances qui précipitent Johnson dans le filet tendu par la police. Vers les deux-tiers du roman, une nouvelle statue apparaît: « Le Poison », et est immédiatement suivie par plusieurs tentatives d'introduire le poison dans l'histoire, au bout d'un stylet, dans un verre d'apéritif, etc. Certes, ici aussi un certain flottement subsiste-t-il dans les correspondances du fait que les diverses statues résument des épisodes d'importance inégale, que certains rapports manquent de précision, que toutes les scènes principales ne peuvent être identifiées. Mais l'auteur lui-même prend la précaution d'avertir que « la plupart » seulement de ces figures se rapportent à la légende d'Azy et que, d'autre part, il n'en a pas décrit la totalité. En d'autres termes, on n'entrevoit que des fragments assez disparates d'un ensemble mythologique ou mythique qui pourrait livrer une clé générale du roman qu'il réfléchit. On reconnaît l'utilisation de la légende en tant que système de repères; on en tire l'indication d'un souci d'ordonnance dans la construction de l'œuvre romanesque, on peut procéder au déchiffrage de quelques aspects importants de la structure, mais on peine encore à en saisir le sens fondamental.

Un autre tableau en abyme permet cependant de suppléer aux sections manquantes. Ces figures sculptées du jardin de la Villa Bleue, qu'on revoit miniaturisées sur l'étagère de Lady Ava et qui associent la réflexion des thèmes dominants du roman aux thèmes caractéristiques des autres ouvrages de l'auteur, se retrouvent derechef dans l'arrière-cour du théâtre de la villa, au milieu de restes d'accessoires, de décors, de costumes, rassemblés en désordre. Certains de ces objets font double emploi avec les images suggérées par les statues en plâtre; ainsi, le mannequin en robe collante et qui tient en laisse un grand chien noir appartient à la séquence relevant du groupe « Les Chiens ». D'autres, par contre, comblent bon nombre de vides que la grille « légende d'Azy » laissait dans l'économie du roman, ou apportent plus de précision à l'évocation des épisodes que le chiffre mythique ne laissait qu'entrevoir: anneaux de fer, fragments d'escalier, pousse-pousse hors d'usage, verres cassés, illustrés chinois (dont à leur tour sortiront plusieurs autres évocations), balais en paille de riz, voire tréteaux qui, dans un mouvement de circularité double, réfléchissent le théâtre même dont ils constituent un accessoire. L'ensemble de ces objets se présente sous l'aspect d'une liste de pièces maîtresses d'un jeu de construction, où chaque élément a la fonction d'une brique que l'on dispose dans certaines relations avec d'autres de manière à élever la charpente de structures diverses, indéterminées en principe, mais en réalité limitées et conditionnées par le caractère et le choix réduit du matériau donné à la base. Le constructeur pourra ajouter des ornements, combiner à son gré festons et astragales, la structure fondamentale — et donc les éléments qui la définissent — demeureront visibles dans l'œuvre finie. Dans ce sens, si le magasin aux accessoires ne fournit pas, lui non plus, la totalité de facteurs qui déterminent le roman, il n'offre pas moins une liste honnête de la plupart des matériaux objectifs dont l'auteur s'est servi dans son travail. Leur nomenclature fonde une fatalité de l'élaboration de l'œuvre, puisqu'ils inspirent et limitent à la fois les développements qu'elle peut prendre.

Au détour d'une arabesque d'écriture, à la pointe d'une envolée d'images, se plante, comme une borne assignée de l'extérieur aux échappées de la fantaisie, le pousse-pousse au coussin crevé ou la coupe brisée, dont les réflexions innombrables en profondeur forment une épaisseur et une permanence du donné irréductibles aux caprices du romancier. Chaque fois qu'ils reviennent, on a l'impression de se heurter à un schéma immuable, celui qui fait survivre ces choses, ou ces images des choses, à l'incohérence et à l'incertitude des inventions qui partent d'elles ou qui s'achèvent en elles, ou encore qui tournent sur elles comme sur des charnières. Bref, la *Maison de rendez-vous,* carrefour des motifs anciens et des thèmes nouveaux, se dévoile aussi comme le lieu de manifestation d'un certain nombre de données neutres qui, tels le tableau, la boîte et le poignard dans le *Labyrinthe,* semblent avoir été posées à l'avance par l'écrivain comme les sources nécessaires de son invention.

Reste à préciser leur sens. Or, il est donné implicitement dans les deux premières pages du roman où, justement, on trouve une première évocation de ces images fondamentales, correspondant à peu de choses près à la fois à la série des statues, à certaines scènes des romans précédents, et au contenu de la remise aux accessoires: une jeune femme blonde qui courbe sa nuque pour rattacher une sandale, la jupe fendue des élégantes de Hong-Kong, un fouet de cuir, un mannequin de cire dénudé, une affiche de spectacle, une réclame pour jarretelles, deux lèvres humides, un collier à chien, un lit à colonnes, une cordelette, des jardins et des temples, Byzance, des anneaux scellés dans la pierre, et cætera. Certaines, telles les deux premières, apparaissent toutes neuves dans la *Maison de rendez-vous;* d'autres, au contraire, évoquent des souvenirs des écrits antérieurs mais ne reviennent pas dans le texte. L'important, c'est que Robbe-Grillet établit clairement, dès la phrase d'ouverture, et, dirait-on, en son nom propre ou, en tout cas, au nom du romancier, ce que toutes ces images ont en commun, à savoir: leur origine et leur existence luxuriante dans son imagination érotique.

> La chair des femmes a toujours occupé, sans doute, une grande place dans mes rêves. Même à l'état de veille, ses images ne cessent de m'assaillir. Une fille en robe d'été qui offre sa nuque courbée — elle rattache sa sandale — la chevelure à demi renversée découvrant la peau fragile et son duvet blond, je la vois aussitôt soumise à quelque complaisance, tout de suite excessive (etc.) (*MR,* p. 11).

Chacune de ces images donne lieu, ou a donné lieu, dans son œuvre, à des développements plus ou moins suggestifs, plus ou moins violents, plus ou moins sadiques, mais toujours à nuance sexuelle; dans toutes, c'est bien la chair féminine qu'il adore, convoite, poursuit, meurtrit, soumet, ou évite fièvreusement. Conçu comme un avertissement au lecteur, ce passage fait ainsi état d'un certain nombre de ces rêveries ou fantaisies érotiques qui ont accompagné l'auteur «pendant des heures, au hasard des voyages, pendant des jours» (*MR,* p. 12), qui se sont déposées, encore toutes vivantes, dans sa mémoire, et qui, sous forme de transpositions imaginaires, se sont glissées dans ses ouvrages. Dès lors, il lui suffira de puiser dans le souvenir, de libérer à nouveau les rêves qu'il récèle et de ranimer les thèmes figés par l'écriture, puis d'y joindre un certain nombre d'autres images qui hantent au présent ses rêves éveillés, pour accomplir ce qui se dévoile maintenant comme dessein principal: la création d'une réalité romanesque à partir des formes de l'imagination érotique. Ou, si l'on préfère: la composition d'un roman dont la substance serait faite de rêveries érotiques. Ou encore: la mise en œuvre de l'obsession érotique qui, dans ce sens, devient le véritable sujet de la *Maison de rendez-vous* au même titre que la jalousie l'était, plus explicitement, de la *Jalousie*, ou la persuasion de *Marienbad*. Le choix de Hong-Kong comme cadre exotique de cette passion, et l'emploi d'autres stéréotypes d'une imagination adolescente qui anime ce cadre avec des personnages engagés dans des aventures de roman feuilleton, apparaissent aussi subordonnés à cet objectif principal que l'étaient la description d'un île tropicale et celle d'un hôtel baroque et de sa clientèle fantomatique dans les deux ouvrages précités.

On comprend, dès lors, le sens et la fonction des diverses séries structurelles qui ordonnent le mouvement superficiellement chaotique du roman. Elles constituent le substratum objectif de l'imagination érotique de l'auteur, l'expérience acquise de ses manifestations, voire les formes dans lesquelles elle s'est déjà coulée, bref des structures — des infrastructures — qui préexistent à l'œuvre et qui imposent un ordre fatal. Quelle que soit la liberté du romancier, quelle que soit la part de l'idée créatrice dans l'écriture de l'ouvrage, le système d'images stéréotypées offre une construction stable où viennent s'accrocher les variantes du texte; et l'auteur, comme tel de ses personnages, a beau combiner et torturer le corps du récit, il retombe inévitablement dans les thèmes déjà annoncés, déjà utilisés, déjà déposés dans les œuvres précédentes. On a vu que la *Jalousie* contenait, pêle-mêle, les formes nécessaires du sentiment d'un homme jaloux; dans la *Maison de rendez-vous,* la nécessité s'exprime par le retour systématique d'un certain nombre de phantasmes dictés par l'obsession sexuelle et fondés sur une quantité limitée d'images données par la mémoire ou par l'expérience d'une impulsion momentanée. Cette restriction de la puissance évocatrice de l'invention pourrait, au reste, expliquer un certain détachement, un soupçon d'attitude froide et analytique, que crée, dans ce roman, l'expression des sentiments qui, ailleurs, tiendraient du délire. Car, si Robbe-Grillet ne réussit pas à transmettre la fièvre érotique, si ses images des perversions sexuelles n'éveillent pas toujours de réaction vivace chez le lecteur, c'est peut-être bien parce qu'il respecte à l'excès la rigueur de la construction et, par là même, coupe court à tout lyrisme.

Les allusions, à première vue malicieuses ou seulement ironiques, aux autres romans de l'auteur, prennent ainsi une valeur de révélations indiscrètes. Un des doubles du romancier gomme sur son manuscrit le mot « secret », pour laisser comme dernière phrase: « voyage lointain, et non pas gratuit » (*MR,* p. 83), à quoi l'écrivain, apparaissant cette fois sous les traits d'un metteur en scène, ajoute: « mais nécessaire » (*MR,* p. 176), faisant écho à la conclusion de la prière d'insérer du *Labyrinthe*; en effet, ce n'est pas seulement une échappée dans un pays imaginaire que propose le récit, mais une véritable exploration illuminatrice des nécessités intérieures de toute l'œuvre robe-grilletienne, ou au moins de la permanence de ses ressorts érotiques, chaque découverte se réfléchissant dans la multiplicité de rappels littéraires concrétisés dans les statues de la légende d'Azy. On reconnaît, dans les *Gommes,* la tentation de l'inceste, dans le *Voyeur* celle du sadisme, dans la *Jalousie* celle du masochisme, dans le *Labyrinthe* l'ébauche d'une appréhension d'impuissance, etc. Nous laissons aux critiques psychanalystes le soin de déterminer en détail les manifestations et les avatars de cette source d'inspiration de Robbe-Grillet. M. Didier Anzieu, dans un article récent des *Temps Modernes,* montre jusqu'où l'on peut pousser cette sorte d'analyse intime de l'écrivain à partir de son œuvre [7]. Mais, en faisant la part du feu, il reste que la *Maison de rendez-vous,* en même temps que son propre dessein érotique, livre de nouvelles indications sur la manière de lire ce qui l'a précédée et justifie les études qui insistaient, dès le début, sur le rôle primordial de l'érotisme chez Robbe-Grillet.

Les preuves n'en manquent pas. Ainsi, Princesse Azy, Lady Ava, Eva Bergmann, n'est-il pas naturel de voir dans ces allitérations de simples variantes artificielles d'une Eve obsédante et constamment présente, de l'éternel féminin qui préoccupe et inspire l'auteur? Les statues d'Azy de la Villa Bleue — soit les corrélatifs des romans de Robbe-Grillet — ont été sculptées par un certain R. Jonestone (ou Johnston ou Johnson); or, c'est le même Jonestone qui a signé les innombrables bustes de Lady Ava; et c'est encore Jonestone qui a écrit la pièce intitulée « L'Assassinat d'Edouard Manneret », donc une réflexion de la *Maison de rendez-vous*: ainsi l'inspiration ancienne et l'actuelle se retrouvent en cette «innombrable femme muette et immobile, inaccessible, qui multiplie ses poses apprêtées, grandiloquentes, exagérément dramatiques, et qui m'entoure de tous les côtés » (*MR,* p. 185): femme-esclave et femme-reine, femme à torturer et femme à enlever, femme qu'on soumet et femme qui humilie, femme désirée et lointaine — autant d'archétypes érotiques que Robbe-Grillet, ou son double sculpteur et dramaturge, reconnaît avoir placés au centre de ses premiers romans avant de les reprendre tous dans le dernier (et d'y associer, peut-être, l'image trouble et symbolique du poisson). Eléments nécessaires, sources d'une attraction fatale, origines en même temps qu'aboutissements inévitables des rêveries, ces images stéréotypées de la femme, dont le romancier part seulement pour y revenir, contrôlent elles aussi son imagination et, partant, l'univers fantastique qui s'édifie sur les obsessions.

On pourrait en tirer la conclusion que, sous les dehors d'un dépaysement au reste assez forcé, la *Maison de rendez-vous* est le plus intime, le plus exhibitioniste des ouvrages de Robbe-Grillet. Cette hypothèse ne présente, en soi, qu'un intérêt discutable. Mais, dans le cas concret du dernier roman de l'auteur, elle permet d'expliquer le curieux sollipsisme qui marque la solution donnée au problème de perspective romanesque. On a vu que Robbe-Grillet, des *Gommes* au *Labyrinthe,* ne cessait de perfectionner les techniques du point de vue, en attribuant à cet élément structurel un rôle de plus en plus décisif pour la détermination des significations du roman. Il était arrivé à poser un créateur imaginaire dont l'activité fabulatrice faisait le sujet principal d'une œuvre. Avec la *Maison de rendez-vous,* un nouveau pas est franchi et la conscience interposée se trouve éliminée au profit de la présence immédiate de l'auteur. Certes, il y a plusieurs personnages qui, à tour de rôle, y font office de « narrateur », rappelant ainsi le schéma un peu primitif des *Gommes*. Mais, à l'analyse, il est relativement facile de les réduire tous au romancier lui-même, non dans sa fonction de cause première, ce qui est valable pour toute fiction, mais comme élément actif du monde livresque. Le caractère personnel du roman, en qui on est tenté de voir une confession déguisée en œuvre d'art, ou vice-versa, a pu inspirer cette ubiquité de l'auteur qu'on retrouve dans la peau de tous les protagonistes.

Ces identifications, Robbe-Grillet ne cherche pas à les dissimuler. Au contraire, il multiplie généreusement des allusions et des jeux de noms qui les font deviner. A l'intérieur de la *Maison de rendez-vous* se ramifie en vérité un système précis de références personnelles, pareil dans sa rigueur au système de références mythologiques dans les *Gommes*. Etabli parallèlement au réseau érotique, il définit un second plan structurel du roman, obéissant à des dispositions autonomes à l'égard du premier, mais le recoupant à certains endroits. Ici encore, il importe peu par quel côté le saisir; il suffit de tirer un fil, et tout l'écheveau se dévide; mais, pour bien montrer que les deux schémas — thèmes et personnages — se complètent harmonieusement, il est préférable de partir d'un des points charnières où ils se rencontrent.

Un tel pivot est fourni par le groupe sculpté (encore lui !) illustrant la légende d'Azy. On se souvient que ces statues figuraient l'ensemble de l'œuvre romanesque de Robbe-Grillet. Il est évident, dans ces conditions, que leur auteur, le sculpteur R. Jonestone, n'est qu'un nom d'emprunt sous lequel le romancier s'introduit dans son univers fictif. Du reste, on l'a noté, c'est à travers ce même Jonestone qu'il s'attribue (ou revendique) la paternité des portraits de Lady Ava et la création d'une version théâtrale de la mort de Manneret, donc un double de la *Maison de rendez-vous*. On pourrait même se demander si le hasard seul a fait que les initiales du romancier et de son personnage se correspondent prononcées dans leurs langues respectives (ce dont Robbe-Grillet a pu se rendre compte en épelant son nom durant son voyage en Amérique), voire, dans l'esprit de certains exégètes de Beckett, si le « J » de Jonestone, comme le « M » de Manneret et de Marchat, ne renvoient pas à la première personne du singulier (et le « L » de Lauren, Loraine, ou Laureen, à un « elle » phonétique et allégorique). Quoi qu'il en soit de ces arguties, cette première identification n'est guère discutable, et les autres masques du romancier, qui en découlent en partie, peuvent être rattachés par son entremise au chiffrage des thèmes érotiques.

La deuxième identification prend sa source dans une confusion de noms. R. Jonestone, le sculpteur, ne reçoit son nom définitif, avec son orthographe exacte, qu'assez loin dans le récit. Au début du livre, on déclare que l'auteur du groupe sculpté s'appelle Jonstone ou Johnson. Or, peu après ce renseignement, le protagoniste du roman, resté anonyme jusque là, s'identifie brusquement comme Sir Ralph Johnson, alors que le sculpteur voit son patronyme légèrement modifié de manière à donner la version définitive: Jonestone. Par la suite, les deux personnages se différencient de plus en plus, mais cette origine linguistique commune indique leur fonction identique: doubles du romancier, deux manières différentes dont celui-ci a finalement choisi de se manifester. On remarque, à cet égard, que le jeu d'initiales s'applique également dans le cas de Ralph Johnson. On peut ajouter, à la rigueur, que le nombre des lettres des deux parties de son nom donne la même formule 5+7 que pour Robbe-Grillet. De plus, tout homme d'affaires, aventurier, espion qu'il est, ne se livre-t-il pas, lui aussi, à une activité quasi littéraire, puisqu'il projette et entreprend de raconter le déroulement de la soirée chez Lady Ava — scène capitale du roman? Dans ce rôle, par les reprises, les hésitations, les changements qu'il propose, il s'engage dans le même labyrinthe d'impasses et de préoccupations structurelles que l'auteur, bute sur les mêmes images stéréotypées, s'embarque dans les mêmes rêveries qui l'entraînent loin du propos originel, jusqu'à ce qu'une nouvelle image, un nouveau cliché, l'y fassent revenir. La *Maison de rendez-vous,* c'est un peu son roman. Dès lors, on comprend et la raison et le point de départ du dédoublement Jonestone-Johnson à partir d'une source unique: dans les deux cas, il s'agit bien de Robbe-Grillet, mais, en tant que Jonestone, il a voulu répondre de son œuvre passée, tandis qu'en tant que Johnson il se dépeint en train de créer l'œuvre présente.

Etant donné ce choix, il était logique que Jonestone n'intervienne pas dans le roman en tant que personnage vivant, puique c'est un Robbe-Grillet dépassé qu'il représente, un Robbe-Grillet qui n'existe qu'en fonction de l'œuvre accomplie abandonnée au regard du public comme des statues dans un jardin. Il était également naturel que Johnson assume le rôle du narrateur principal, celui dont le « je » se substitue au « je » du romancier de la première page. Mais ce « je » lui-même, avant de pouvoir être accolé définitivement à Johnson, dévoile une troisième identité fictive de Robbe-Grillet: le personnage en smoking sombre qui, au début du roman et dans des scènes intercalées à des intervalles de plus en plus longs, écoute silencieusement les confidences d'un homme au teint rouge qui a vécu à Hong-Kong. Avant que Johnson n'apparaisse, la fonction de ce personnage muet demeure assez énigmatique. On a d'abord l'intuition qu'il pourrait s'agir du romancier, vu de l'extérieur par un mouvement de réflexion sur soi-même, et saisi au moment où, tel le mari de la *Jalousie* ou le narrateur du *Labyrinthe,* il enregistre passivement les paroles et les gestes qui feront objet d'un développement romanesque. Mais voilà que cet homme, à la faveur d'un dédoublement de scène répétée « avec exactitude dans ses moindres détails » (*MR,* p. 22), se transforme soudain en acteur du drame et prend à son compte le premier « je » fictif du texte, soit: le premier « je » placé clairement sur le plan d'un récit imaginaire. Or, ce « je », on l'a vu, s'affirme bientôt comme l'indicatif de la voix de Johnson dont on connaît l'identité. Il suffit dès lors de remonter la filière pour voir se confirmer l'intuition: Robbe-Grillet donne Johnson qui donne le « je » fictif qui donne l'invité au costume sombre qui n'est donc que le masque initial de l'auteur.

Au déchirement latéral du romancier en Jonestone et en Johnson correspond ici une évolution linéaire, pareille au cycle qui, de la chenille, mène au papillon. Robbe-Grillet s'invente d'abord l'enveloppe larvaire d'un spectateur réduit au regard et à l'ouïe; puis, dans ce nouveau rôle, projette un double imaginaire qui, lui, sera tout action. Le contraste entre ces deux personnages représente derechef deux manières d'être du romancier. L'inconnu en smoking sombre renvoie à l'écrivain tel qu'il apparaît ou qu'il existe sur le plan quotidien de sa réalité objective : une silhouette peu précise, anonyme, grise, ramassée en elle-même, mais génératrice de l'étincelle créatrice ; Johnson, en revanche, c'est l'écrivain en train de vivre la grande aventure de l'écriture sur le plan d'une réalité imaginaire, où se donne libre cours une imagination débridée. Ici encore, il est évident dans quelle direction vont les préférences de l'auteur et ce qu'il considère comme le plus important. Le roman est visiblement centré sur Johnson, et l'homme en smoking sombre ne sert qu'à établir qu'il sort bien de l'invention du romancier, transporté à cet effet et par ce moyen dans le monde romanesque. Notons, en passant, que le lecteur, qui accompagnerait Robbe-Grillet dans ce double mouvement de translation, passerait ainsi deux fois du réel à l'imaginaire : d'abord du premier « je » objectif au premier « je » fictif de l'homme au smoking sombre, puis, en dépistant en celui-ci la présence objective du romancier, au plan fictif de Johnson.

Il est d'autant plus remarquable que, sur ce dernier plan, donc au niveau de l'imaginaire porté à la deuxième puissance, on retrouve une autre image objective de l'écrivain, vu de l'extérieur et même à une certaine distance. Car, sous le nom d'Edouard Manneret, c'est toujours son propre portrait que trace Robbe-Grillet, en modifiant une troisième fois le point de vue : il s'agit de se dépeindre en homme public, d'emprunter si possible la perspective d'autrui. Les allusions à l'identité réelle de Manneret se fondent en partie sur les identifications déjà établies, soit sur la reconnaissance tacite de la présence du romancier dans l'œuvre. Comme Johnson (donc : comme Robbe-Grillet), Manneret est aussi l'auteur des tableaux inspirés par Lady Ava ; il a peint une Maïa, « déesse de l'illusion » (MR, p. 85) et partant « corrélatif » de toute l'œuvre robbe-grilletienne ; comme le romancier, il se complait dans des rêveries érotiques, même les plus violentes, les plus extrêmes ; enfin, que ce soit dans la pièce imaginaire dont il est le héros ou dans une des séquences « objectives » (bien que dérivant de l'imagination de Johnson), c'est lui qui écrit une des phrases clés du roman, parlant de ce « voyage » dont on a montré la signification, puis fusionnant insensiblement avec le texte du récit. « Tout le monde le connaît », déclare le chauffeur chinois en désignant la fenêtre éclairée où, tard la nuit, la silhouette de l'écrivain se profile (MR, p. 118). C'est aussi en tant qu'Edouard Manneret que Robbe-Grillet signe le tableau d'un Hong-Kong fictif en plaçant son nom sur une plaque de rue, un peu comme les artistes du moyen âge qui se représentaient sous les traits d'un personnage mineur.

Puis la ronde des masques continue. Manneret, dit le *Vieux,* s'identifie à son tour, au moins à trois reprises, avec l'énigmatique *vieux* roi fou Boris, qui se balance dans un rocking-chair et tape sur le plancher avec une canne de jonc « pour entretenir le mouvement de pendule » (MR, p. 161) qui est celui du roman ; Boris qui intervient, souvent entre parenthèses, pour briser le développement d'une rêverie, arrêter une scène obsédante ; Boris qui fait intermède réaliste et fantastique à la fois, irruption d'une autre dimension dans le monde imaginaire du roman,

74

petit rappel de la réalité propre de Robbe-Grillet en train d'écrire le roman et de chercher son inspiration. Car c'est bien de sa propre mémoire que parle le romancier en décrivant ses efforts pour la débarrasser des thèmes de ses ouvrages précédents (mais auxquels il est fatalement ramené) et pour en tirer des éléments vierges auxquels raccrocher l'intrigue:

> La nuit est avancée, une fois de plus, déjà. J'entends le vieux roi fou qui arpente le long du couloir, à l'étage au-dessus. Il cherche quelque chose, dans ses souvenirs, quelque chose de solide, et il ne sait pas quoi. La bicyclette a donc disparu, il n'y a plus de tigre en bois sculpté, pas de chien non plus, pas de lunettes noires, pas de lourds rideaux. Et il n'y a plus de jardin, ni jalousies, ni lourds rideaux qui glissent lentement sur leurs tringles. Il ne reste à présent que des débris épars: fragments de papiers... (*MR*, p. 32).

Boris, en somme, incarne un Robbe-Grillet qui se regarde écrire et qui refuse de se prendre au sérieux: une expression directe du *moi* intime et ironique, faisant pendant au *moi* un peu prétentieux et tragique de Manneret. On pourrait objecter qu'il y a autant de raisons de voir en Boris un nom familier donné par le romancier à son locataire du-dessus; c'est possible encore que cela ne cadre guère avec d'autres indications; de toute manière, l'origine du personnage importe peu (comme il importe peu que l'idée d'une maison de rendez-vous soit venue ou non de l'ancienne destination du lieu de travail de l'écrivain), du moment que la fonction qu'il tient dans le roman se trouve clairement établie. Même si Boris était un rappel du protagoniste d'un premier roman, pour lequel Robbe-Grillet n'avait pas trouvé d'éditeur, son rôle dans la *Maison de rendez-vous* resterait le même.

Le sollipsisme se poursuit avec Georges Marchat, ou Marchant, ou Marchand, dont le nom incertain, la nationalité et la profession sont inventés par Johnson à la page 97, mais qui était déjà pris pour ce même Johnson à la page 58 et s'assimile à Jonestone et à Manneret comme un des auteurs des portraits de Lady Ava. De plus, il connaît un certain nombre d'aventures identiques à celles de Johnson et on le trouve au buffet de la soirée, en train de boire du champagne dans l'attitude caractéristique de l'anonyme personnage en smoking foncé rencontré au début du roman. Même l'intermédiaire Tchang, qui se substitue à Manneret dans une scène onirique, entre dans ce jeu de réflexions, tant il est vrai que tous ces personnages ne sont que noms divers empruntés par le romancier pour justifier le foisonnement des rêveries érotiques, exotiques et littéraires et, peut-être, pour tenter, au moyen de cette multiplicité artificielle de points de vue, de varier le choix réduit des images fondamentales. Si tel était son but, il ne semble pas l'avoir pleinement atteint. Le caractère stéréotypé et interchangeable des divers masques fait oublier les fonctions structurelles différentes qu'ils remplissent et les rôles différents qu'ils tiennent dans l'intrigue. Parce que c'est toujours Robbe-Grillet qu'on rencontre, et non pas entier, en profondeur, mais fractionné en surfaces fonctionnelles, et parce que chaque facette reflète malgré tout les mêmes préoccupations (érotisme, exotisme, aventures) sous forme de clichés, cette parthogénèse littéraire ne produit que des doubles sans véritable distinction de personnalité. L'auteur lui-même le confesse d'ailleurs. Après un passage « neutre » où il intervient à visage ouvert pour proposer rapidement plusieurs versions contradictoires d'un épisode (comme dans le passage du roman africain dans la *Jalousie*), puis mettre en doute l'importance d'un choix entre ces variantes, il résume l'inanité de ces différenciations verbales et ramasse en un faisceau les identifications de ses personnages :

> ... tout ça, c'est la même chose. Manneret prend d'abord Johnson pour son fils, il le prend pour Georges Marchat, ou Marchant, il le prend pour M. Tchang, il le prend pour Sir Ralph, il le prend pour le roi Boris. Cela revient au même... (*MR,* p. 210).

« Qu'est-ce que ça signifie, un nom ? » demandait plus simplement Manneret (*MR,* p. 115).

En fait, cette énumération n'est pas complète. Un peu comme Flaubert par son « Madame Bovary c'est moi », Robbe-Grillet assume également la personnalité de Lady Ava en la faisant participer à l'élaboration de l'histoire. Un certain nombre de séquences proviennent directement d'une de ses remarques ou d'une narration qu'elle commence, ce qui la range dans le groupe des « récitants » mais ne l'identifie pas encore à Robbe-Grillet ; par contre, le long passage dialogué où un « je » anonyme, Robbe-Grillet ou un de ses doubles, discute avec Lady Ava les détails d'un nouvel épisode de l'intrigue et où tous les deux introduisent de nouveaux éléments, la version proposée, inventée par Lady Ava l'emportant à la fin et passant, en un « fondu », dans le corps du récit (*MR,* pp. 170-175), indique soit une collaboration (de mari et femme ?) dans la composition du récit, ce qui semble peu probable mais reste une hypothèse à retenir sur le même plan que celle de Boris-voisin, soit un nouveau dédoublement artificiel du romancier qui fait usage de son personnage pour transcrire un dialogue intérieur, une réflexion du créateur sur la direction à donner à son œuvre. Remarquons en passant, que ce procédé montre un souci de logique formelle et un respect de la causalité et de la vraisemblance dans l'invention qui, en rendant compte de l'origine d'une scène imaginaire, limitent la liberté de l'imagination. Il est vrai que, tout de suite après, comme pour gommer cette impression, le « metteur en scène » (soit Jonestone — auteur de la pièce, soit l'assassin d'Edouard Manneret — policier véreux, soit Robbe-Grillet lui-même qui reçoit ainsi un nouveau visage) ajoute un détail gratuit et absurde : chaussures interverties sur les pieds de la victime, « par souci de décoration plus que de vraisemblance » (*MR,* p. 175).

Reste le cas du gros homme au teint rouge qui le premier introduit Hong-Kong dans le roman en entretenant de ses voyages, lors d'une soirée de bal, le personnage en smoking sombre qui s'identifiera par la suite comme le narrateur, comme Johnson, comme toute la série des reflets imaginaires de l'auteur. A la différence de tous ces masques, le gros homme au teint rouge garde, jusqu'à la fin du roman, une autonomie et une distance à l'égard des péripéties du monde imaginé par le romancier. Sans doute, à deux ou trois reprises, est-il entraîné dans une scène ou dans un cadre fictifs (au théâtre, surtout, ce qui a un sens spécial). Mais, même alors, il joue un rôle essentiellement neutre, amenant parfois la transition à un épisode suivant mais sans jamais y intervenir. La première hypothèse qui vient à l'esprit attribue à cet individu inerte la fonction d'un élément objectif préexistant à la création, le caractère d'un fragment du donné faisant pendant aux autres sources déjà relevées — objets érotiques, thèmes romanesques, souvenirs — et, comme elles, ramené par le romancier des fonds de sa mémoire. C'est en écoutant, un soir, le récit des voyages de ce gros homme congestionné que son interlocuteur, donc l'auteur du roman, se transporte dans un Hong-Kong dont il bâtit l'exotisme à partir de quelques renseignements superficiels et des bribes de lecture, emportant avec lui l'image troublante d'une danseuse qui assiste à la même soirée et la faisant participer, en même temps que d'autres personnages évoqués par le voyageur, à des aventures mentales qui s'inspirent du récit en cause mais où lui, l'interlocuteur, tient à tour de rôle les emplois principaux. Dans ce sens, une partie seulement des données de cette rêverie peut être tracée jusqu'à l'homme au teint rouge; une autre partie, que nous avons étudiée plus haut, relèverait de l'apport personnel de l'auteur: ses obsessions, ses références à ses œuvres antérieures, la structure de ses rêves, le développement et les modifications des histoires entendues, la vie insufflée aux stéréo-types: par exemple, les Eurasiennes anonymes aux jupes fendues deviennent la servante Kim, promenant un chien noir venu, via l'*Immortelle,* des bas-fonds de l'imaginerie de l'écrivain. Le roman, après une brève identification des sources dans les premières pages, ne serait plus qu'une transcription littéraire d'une expérience psychique éprouvée « réellement » par le romancier, une sorte de confession psychanalytique, une illustration, à partir d'un événement concret, de la démarche des fantaisies érotiques de Robbe-Grillet annoncées dès l'ouverture de l'œuvre. En d'autres termes, la lecture en clair de la *Maison de rendez-vous* suivrait, sous le chiffrage, le schéma suivant: « Tout m'est prétexte à des rêveries érotiques. Un jour, lors d'une réception chez mon amie Ava, je voyais une danseuse aguichante, j'écoutais un homme me parler de Hong-Kong, j'apercevais une ampoule de verre et, tout de suite, mélangeant tout cela et y ajoutant d'autres souvenirs, je partis dans des aventures fantastiques, dont voici le récit entrecoupé par des retours à la soirée en question ». Hypothèse séduisante, certes, en ce qu'elle semble intégrer la plupart des éléments du roman, mais hypothèse à écarter, du moins en ce qui concerne le rôle précis et le caractère authentique de l'homme au teint rouge et, partant, le déclenchement réel de l'imagination créatrice.

En effet, de deux choses une: ou Robbe-Grillet est allé lui-même à Hong-Kong et en a rapporté les images qui le troublent, comme on pourrait le croire en prenant à la lettre l'Avertissement ironique et l'allusion du narrateur dans le texte (*MR*, p. 141), ou bien il faut comprendre ces deux indications dans le sens d'un voyage imaginaire, ce voyage nécessaire dont parle Manneret, ou de connaissances livresques et cinématographiques, faites de clichés flottant dans la culture ambiante et correspondant aux images fondamentales de la conscience qui rêve à l'évasion, au dépaysement; ainsi le narrateur précise: « tout le monde connaît Hong-Kong » (*MR*, p. 141) et le romancier déclare à une journaliste du *Figaro*: « Tout le monde connaît Hong-Kong. Mon roman est basé là-dessus, sur le fait que tout le monde connaît Hong-Kong. Nous avons tous un Hong-Kong dans la tête ». De toutes manières, ce décor exotique où s'épanouissent tous les vices, sort bien de la tête de l'écrivain lui-même et non des propos d'un interlocuteur de rencontre. Le voyageur rubicond se révèle en conséquence comme un personnage fictif et, au surplus, comme le dernier — ou le premier — dédoublement de l'auteur, puisqu'il fait état, à sa place, de l'ensemble d'idées qui viennent à l'esprit au nom même de Hong-Kong. Par la même occasion, toute la première scène, la danseuse et Lady Ava comme le gros homme au teint rouge, bascule dans l'imaginaire où elle rejoint les scènes proprement exotiques, bien qu'elle s'y établisse à un niveau fabuleux différent.

Cette dualité de niveaux dans le domaine de l'imagination est d'ailleurs très importante pour l'économie du roman. Grâce au contraste qu'elle implique, la fonction structurelle du voyageur et de son récit, ainsi que des personnages qui se situent sur le même plan que lui, reste la même que dans l'hypothèse écartée: il s'agit toujours d'une présentation plus ou moins objective de certaines sources des aventures imaginaires prêtées à Johnson et vécues mentalement par Robbe-Grillet, mais on sait maintenant que ces sources elles-mêmes sont inventées et que c'est le romancier qui crée arbitrairement les éléments du donné touchant à Hong-Kong, à l'image de la danseuse, à Lady Ava, à la soirée dansante, etc. On aurait eu le même effet dans le *Labyrinthe* si ce dernier roman avait inclu, dès le commencement, le «je» du romancier qui pose le personnage du narrateur-créateur, le décor de sa chambre, le tableau et la boîte.

Cet artifice, le préambule au roman exotique, permet de passer facilement du réseau des personnages conçus comme reflets de l'auteur au troisième système structurel qui définit la construction de l'œuvre et qui est aussi, voire plus rigide que les autres. Il s'agit d'un jeu précis de niveaux de réalité qui, par une cascade de déterminations successives, établissent une structure complexe de fatalité à l'intérieur du récit. Chacun de ces niveaux comporte un certain nombre d'éléments ressortissants aux deux réseaux, soit thématique — obsessions érotiques, soit personnel — doubles de l'auteur, qui définissent d'une manière nécessaire les caractères généraux des niveaux suivants. A la base se situe ce qu'on pourrait appeler le *plan du romancier,* identifié par le «je» anonyme du début du roman. Robbe-Grillet y annonce le sens fondamental de l'œuvre par une énumération des objets qui inspirent ses visions érotiques. Ce faisant, il détermine la naissance et le caractère du deuxième plan, soit le *plan intermédiaire,* qui part d'une reprise et d'un développement de la première de ces images: une fille qui rattache ses sandales devient une danseuse, et celle-ci prend vie dans le cadre d'une soirée qui s'anime bientôt par l'inclusion d'un certain nombre de personnages. Cette nouvelle réalité, dont la nature imaginaire passe d'abord inaperçue tant le passage du souvenir à la création d'un présent romanesque s'effectue discrètement en un paragraphe, s'ancre donc solidement dans un élément de l'expérience de l'auteur: la nuque au duvet blond de la jeune femme. L'apport de l'invention se limite aux deux personnages — le gros homme rouge et son interlocuteur en smoking foncé — donc deux doubles de l'écrivain qui, par ce truchement, se hisse lui-même, à la fois comme romancier et comme personnage — en somme comme romancier en tant que personnage ou vice-versa — au niveau de ce deuxième plan. Au reste, l'imagination est bornée, ici encore, par une donnée du premier plan, puisque le voyageur fictif parle de Hong-Kong, et n'existe qu'en tant qu'il parle de Hong-Kong, dont la signification érotique était mentionnée par le romancier, en son nom, tout au début du livre.

Le plan intermédiaire apparaît ainsi comme une première transposition sur le registre romanesque, une première animation subjective mais non point libre, des images concrètes trouvées par l'auteur dans son expérience. Avec certaines modifications, relativement insignifiantes en regard des bouleversements des variantes aux niveaux supérieurs, ce deuxième plan revient au reste assez souvent dans le texte, chaque fois qu'il s'agit d'ajouter quelque élément du donné, de reprendre contact avec une « réalité » conventionnelle, d'annuler une séquence d'images ou d'en déclancher une autre. Le lieu qu'il évoque — la salle de réception — devient une sorte de plaque tournante qui permet au romancier, s'exprimant à travers les deux interlocuteurs anonymes, soit ses deux doubles sur le plan intermédiaire, l'un gros et bavard et l'autre silencieux mais attentif et inventif, de déboucher sur les avenues multiples menant aux variations du troisième plan, celui des *rêveries*.

Le passage du plan intermédiaire au plan des rêveries est assuré par le développement imaginaire que l'interlocuteur au smoking sombre donne aux éléments apparemment objectifs évoqués par l'homme au teint rouge, ou aux incidents donnés pour neutres et qui jalonnent une soirée dont on tend à oublier le caractère fictif pour y voir une expérience vécue. Il s'agit donc d'une deuxième transfiguration du donné en fiction, avec la différence que ce donné est lui-même œuvre d'imagination créatrice. Cette transposition n'est pas plus libre que la première. Par rapport au plan des rêveries, le plan intermédiaire a la même fonction déterminante que le plan du romancier à son propre égard. L'homme en smoking foncé, conscience créatrice au niveau du deuxième plan au même titre que Robbe-Grillet l'était au niveau du premier, dispose de quelques images stéréotypées de nature érotique, d'un décor et de certains personnages qui lui sont donnés, sur son plan, par son regard, par les anecdotes de son interlocuteur, par l'affleurement en lui des obsessions du romancier. Se laissant aller à la rêverie et donc situant le troisième plan dans un Hong-Kong imaginaire mais fourni par le donné, il fera fatalement appel aux uns et aux autres, et surtout à ses propres passions, se projetant sous les traits de Sir Ralph Johnson, héros, narateur, victime des aventures qu'il se tisse. C'est à ce moment magique, le plan des rêveries atteint et ses thèmes principaux identifiés, que la liberté de la création humaine reprend ses droits. Dans les limites que lui assigne la nécessité, elle plonge dans le chaos les visions du personnage et lui fait fabriquer les mêmes formes monstrueuses et incompréhensibles qu'on a reconnues dans tous les effets de l'imagination et, en général, dans l'activité autonome de l'homme. Ce désordre au sein de l'ordre s'affirme progressivement, à mesure que le plan des rêveries s'affranchit davantage de son enracinement dans le plan intermédiaire. La transition ne manque pas d'un certain souci du vérisme psychologique.

On a l'impression de suivre méthodiquement, comme dans une démonstration de laboratoire, les pulsations de l'invention mentale qui éprouve quelque difficulté à de détacher de la réalité absorbante du deuxième plan : d'abord, elle esquisse quelques images décousues (Eurasienne au chien, pousse-pousse au coussin crevé) qui apparaissent un instant puis disparaissent dissipées par la rencontre visuelle d'une pose obsédante de danseuse au plan intermédiaire, mais reviendront plus tard pour s'intégrer dans des séquences plus longues; puis une histoire vécue racontée par le gros homme rouge donne une direction plus précise à la trame des rêveries et propose un personnage central (Johnson) comme porteur de l'identité imaginaire du rêveur; c'est seulement alors que celui-ci, s'évadant pour de bon du deuxième plan, commence sérieusement à s'inventer des aventures mentales qui, abstraction faite des charpentes thématiques et personnelles tracées plus haut, semblent indifférentes à l'ordonnance logique de l'existence, au souci d'homogénéité ou la compatibilité interne. C'est sur ce plan du rêve, dégagé enfin de ses sources, que se déploie l'effet kaléidoscopique de l'intrigue, ou plus exactement de cet enchevêtrement des fils de l'intrigue qui vont dans tous les sens, se contredisent, se relayent, créent la réalité chaotique d'une imagination en liberté. Le romancier, par la personne interposée de l'homme en smoking sombre, se choisit différentes enveloppes charnelles selon l'inspiration du moment ou selon une indication fortuite des éléments nécessaires donnés sur le plan intermédiaire : il sera Johnson, Sir Ralph, l'Américain, donc son double principal dont les attributs changeront tout autant que sa personnalité et que son emploi du temps, et qui glissera du « je » au « il » à l'intérieur d'un seule séquence; mais il animera également de ses obsessions Edouard Manneret ou Georges Marchat. Sous toutes ces formes, il se prêtera des débuts d'aventures, entreprendra des rêveries érotiques, accomplira des destins tragiques ou violents, poussera jusqu'au bout certaines fantaisies suggérées par les images favorites du romancier dans les premières pages, puis, tôt ou tard, reviendra au niveau « réel » du plan intermédiaire pour reprendre souffle, chercher une nouvelle inspiration, une nouvelle voie à suivre.

Au reste, le monde fantaisiste et fantastique de Hong-Kong n'épuise pas à lui seul toutes les possibilités de cette orgie de l'imagination. Un certain nombre de scènes, guère plus liées entre elles que les épisodes exotiques, évoquent les mêmes personnages dans un décor plus familier, plus immédiat, où Lady Ava n'est plus qu'une Jacqueline banale et où Hong-Kong n'est plus qu'une île fabuleuse et aussi incertaine que Marienbad. L'homme rouge en est exclu, puisqu'il n'avait été inventé que pour permettre d'inventer Hong-Kong, mais on y retrouve les autres invités de la soirée donnée sur le plan intermédiaire, y compris l'homme au smoking sombre, affublé parfois encore du nom de Johnson. Mais ce second monde imaginaire est, si possible, plus désorganisé encore que le monde du dépaysement et ne se manifeste que sous forme des lambeaux de vision. On dirait un Robbe-Grillet qui songe, par à coups, aux possibilités romanesques de sa réalité quotidienne.

Le mélange de ces deux décors fictifs contribue à accroître l'effet du désordre. La désorganisation provient essentiellement de l'activité créatrice d'un seul individu, en l'occurence l'interlocuteur en smoking sombre, qui interprète librement le donné fourni sur le plan intermédiaire et faussement « réaliste » de la soirée mondaine, mais qui, malgré toute la richesse de son invention, ne peut dépasser ni les bornes fixées par le système de personnages-clés, ni les structures posées par le schéma érotique, ni les sujets contenus dans les éléments des anecdotes neutres. Une filière se constitue ainsi de la fatalité du premier plan, par son enrichissement au deuxième, jusqu'à sa mise en œuvre au troisième, une seule personnalité, sous trois formes majeures différentes, assurant la continuité de la dualité entre cette fatalité et la liberté de l'homme: d'abord le romancier qui échafaude des visions sexuelles à partir des images venues de l'extérieur; puis l'interlocuteur en smoking foncé à qui ces visions sont léguées en tant que données nécessaires, directement et par l'entremise de l'homme au teint rouge, et qui en tire de nouvelles visions tout aussi imaginaires; enfin Johnson (voire Manneret) qui donne consistance à ces visions parce qu'il y joue lui-même un rôle. Le résultat final, dans ce sens, ne fait que développer les prémices du début. Pour montrer l'imagination incapable de s'affranchir des limites inhérentes à ses propres ressources et au choix du sujet, deux plans, comme dans le *Labyrinthe,* auraient pu suffire: inspiration et produit. L'introduction du plan intermédiaire renforce cependant l'impression de la force indifférente du destin et de la futilité ultime de la liberté, qui paraît d'autant plus dérisoire qu'elle ne parvient pas à s'arracher des contraintes d'un donné présenté lui-même comme fictif.

L'addition du deuxième plan et de son contenu remplit également une autre fonction. En créant à son image l'homme au smoking sombre, donc en lui attribuant implicitement ses soucis de constructeur des romans, Robbe-Grillet justifie l'apparition, au milieu des rêves érotiques et des aventures exotiques au troisième plan, des préoccupations techniques d'un romancier. Le monde imaginaire qui s'édifie dans le rêve témoigne de la permanence d'une conscience aiguë des problèmes du métier, qui tantôt révèle l'intervention de Robbe-Grillet et tantôt s'exprime par le truchement de son double. C'est l'activité fabulatrice de ce dernier, s'appliquant à observer certaines règles d'écriture propres à son créateur, qui amène des constructions paradoxales ou circulaires. Ainsi, sous les traits de Johnson, tentera-t-il de faire le récit des aventures qu'il se prête en tant que Johnson, et, sous les traits de Manneret, inventera-t-il des épisodes où il apparaît lui-même en tant que Manneret. D'où, l'alternance du «je» et du «il» dans le cas de Johnson. D'où, également, la fréquence des renvois en abyme aux éléments du donné sous forme de statues, d'accessoires de théâtre, etc. — artifices visant à un effet purement littéraire et qui ne se légitime que si l'homme au smoking sombre continue bien Robbe-Grillet et ses procédés habituels. D'où, dans ce cadre, l'artifice favori des représentations dramatiques qui mettent en scène des épisodes qui contiennent des représentations dramatiques qui mettent en scène des épisodes qui... etc. Cet effet de boîte de Quaker Oats, et les autres structures paradoxales, ne constituent pas un réseau romanesque indépendant à ajouter aux autres; ils se situent au même niveau que les images concrètes inventées par le personnage interposé au deuxième plan entre le romancier et le corps de son roman. Par ce moyen, comme par les autres manifestations de son ubiquité, Robbe-Grillet affirme sa survivance dans la peau de ses personnages et, en dernière analyse, ramène à soi, donc à sa conscience créatrice, donc au problème fondamental de l'écrivain aux prises avec la fatalité, tout le foisonnement débridé de la partie romanesque du livre.

Le quatrième plan, qui surplombe l'ensemble et se manifeste par les interventions de Boris, confirme cette leçon. Par une sorte de mouvement da capo vers le premier plan, il renvoie à un Robbe-Grillet détaché, témoin de sa propre production, placé à une certaine distance de ses obsessions ou, du moins, capable de les juger de l'extérieur et de ne pas en tenir compte dans ses réactions à l'égard de l'œuvre à laquelle elles donnent lieu. Chaque fois que Boris interrompt l'envol de l'imagination créatrice, la liberté du romancier se trouve mise en cause par un entendement soudain de son caractère dérisoire: le monde inventé s'effondre, la réalité de Hong-Kong ou de la soirée mondaine s'écroule, il ne reste que phantasmes d'un esprit en proie aux illusions de la chair. Le roman se dévoile dans sa vraie nature: création gratuite, activité dérisoire de l'homme, expression d'une liberté qui ne mène à rien, écume périssable au-dessus d'une réalité indifférente. Dès lors, la multiplicité des doubles de l'écrivain et des univers imaginaires qu'ils inventent se réduit à une unique et pathétique vision du monde du romancier, bornée par les ornières de ses démarches romanesques; et tout l'humour de l'exécution ne peut dissimuler cet aspect fataliste.

En suivant une démarche différente, nous arrivons ainsi à une conclusion parallèle à celle que nous avons tirée de l'étude du *Labyrinthe*. Il reste à établir, comme dans ce dernier cas, si le récit imaginaire principal, c'est-à-dire l'ensemble d'épisodes situés à Hong-Kong, correspond également à une vision du monde marquée par la dualité fatalité-liberté, si celle-ci s'y subordonne à celle-là, comme dans les romans, ou brise ce schéma, comme dans les scénarios. Dans ce sens, il suffira de reprendre un certain nombre d'éléments mentionnés plus haut pour se rendre compte de ce que l'agencement de l'intrigue répète l'enseignement de la structure du livre.

En effet, malgré les variantes multiples des actions des protagonistes, leur présence ou l'absence au bal de Lady Ava, les diverses versions de l'assassinat de Manneret, l'incertitude des noms et des professions, le sujet du roman exotique respecte un dessein général qui, par-dessus tous ces gommages, définit bien une fatalité: Edouard Manneret est assassiné, Ralph Johnson doit fuir Hong-Kong, Kim et son chien se promènent dans les rues de la ville, Lady Ava donne une soirée, Johnson est amoureux de Lauren, la petite Japonaise a été enlevée; il y a un trafic de drogues, des policiers font irruption dans les salons de la Villa Bleue, etc. La manière dont tous ces éléments stables s'emboîtent et prennent vie peut faire l'objet de suppositions et de modifications, mais le résultat de leur action réciproque reste constant, nécessaire. Toutes les inventions des personnages, donc de l'auteur, se brisent contre cet ordre idéal, et les tentatives les plus compliquées pour détourner le mouvement mécanique de la fatalité font ressortir davantage son caractère inévitable. L'effort pour y échapper s'apparente à une recherche aveugle de l'accomplissement du destin; ici, mille chemins mènent à Samarcande, mais toujours pour le même rendez-vous: *Mektoub,* c'est écrit. Et même littéralement. Et plus d'une fois. Car le sort des personnages, dans les grandes lignes qui seules importent en regard de la nécessité, est prédit, donné sous une forme figée dans le passé, placé en médaillon artistique, enraciné solidement dans quatre sources différentes qui, bien qu'elles présentent des variations dans la disposition des détails, définissent toutes un destin accompli ou fatal. Ainsi: 1) Le gros homme au teint rouge raconte une histoire qu'il présente comme un fait acquis (*MR,* p. 19), puis l'enrichit de quelques détails supplémentaires (*MR,* pp. 46, 168); 2) Lady Ava parle également d'incidents passés (*MR,* p. 64), puis les place au futur « sachant trop bien à l'avance tout ce qui va arriver » (*MR,* p. 83), s'attribue un don de double vue qui lui permet de rendre compte des actions présentes des autres personnages (*MR,* p. 105), règle et déclenche le mécanisme de la fatalité: « Voilà. Tout est en ordre... Une fois encore j'aurai réglé, autour de moi, la disposition des choses (...) Il n'y a plus qu'à attendre » (*MR,* p. 137), voire invente de nouveaux incidents qui prennent corps par la suite (*MR,* p. 174); 3) Manneret rédige, gomme, reprend des aspects isolés de l'anecdote (*MR,* pp. 66, 76); et 4) R. Jonestone, dans sa pièce de théâtre, réfléchit l'assassinat d'Edouard Manneret (*MR,* pp. 73, 84). Bien entendu, il s'agit chaque fois des décisions prises par le romancier sous ses divers déguisements; il n'en reste pas moins que ces repères de la fatalité dans le monde imaginaire de Hong-Kong définissent, sur ce plan fictif, un ordre nécessaire de l'anecdote. Echos du dessein du roman-voyage, ce n'est donc plus seulement l'assassinat qui devient « nécessaire, non pas gratuit » malgré ses « ornements inutiles, baroques », mais les grandes lignes de l'intrigue, surchargées qu'elles soient de détails futiles.

On pourrait même avancer que ces ornements, sous la forme des variantes et des fioritures que l'interprétation de la fatalité ajoute au donné fondamental, participent souvent, eux aussi, à une nécessité. C'est du moins le cas de ceux qui reviennent à intervalles réguliers, comme dans la « rengaine à répétitions cycliques » jouée dans le salon de Lady Ava (*MR,* p. 64): les images érotiques, par exemple, qui, au niveau de l'anecdote (et non plus de la structure), jaillissent aussi mécaniquement des sources concrètes: la bague du gros homme au teint rouge, l'illustré chinois, les scènes de la représentation théâtrale, les statues considérées en tant qu'éléments du décor matériel de l'histoire. Et les personnages ont beau multiplier leurs visions, leurs identités, leurs comportements: tôt ou tard, ils se retrouvent pétrifiés dans les mêmes scènes, ou des scènes quasi identiques, en train de se livrer à des gestes donnés à l'avance par les images, les statues, etc. De même, tôt ou tard, ils doivent revenir vers les deux lieux d'une polarité reprise du *Labyrinthe*: la Villa Bleue et la chambre d'Edouard Manneret. Prisonniers sur l'île de Hong-Kong, il n'y a pour eux, semble-t-il, nulle évasion; leur sort, telle la destinée des personnages des tragédies classiques, doit s'accomplir dans le décor dressé par l'auteur.

Cette parenté entre le fatum du théâtre tragique et la fatalité de l'univers romanesque de Robbe-Grillet, nous l'avons déjà notée à plusieurs reprises. Comme les autres romans, à l'exception du *Labyrinthe,* la

Maison de rendez-vous compense ce caractère exceptionnellement mélo-dramatique de sa trame par la présence concertée de facteurs qui atté-nuent ou détruisent la tragédie. Une accumulation remarquable d'élé-ments comiques joue un rôle majeur dans l'établissement de cet équilibre. On serait tenté de parler de tragi-comédie, ou d'humour noir, si un certain détachement habituel à l'auteur et renforcé, dans ce cas du moins, par le jeu des points de vue entreposés, n'empêchait de prendre au sérieux tout ensemble l'horreur et les facéties. Il reste que celles-ci abondent, minent les significations les plus révélatrices. Nous avons insisté sur les renvois aux œuvres antérieures parce qu'ils dévoilaient la permanence des obsessions érotiques à la source de l'inspiration et assuraient une charpente rigide à l'ouvrage; en même temps, cette réflexion ironique ébranle l'impression dramatique que la cruauté des images aurait pu faire naître chez le lecteur. En dépistant les allusions et les échos, on se transporte sur le registre du canular; à la sensation du déjà vu s'ajoute celle du déjà lu, et l'artifice commence à fleurer la plaisanterie. Ceci d'autant plus que Robbe-Grillet ne se borne pas aux références à ses pro-pres écrits. Un amateur de la littérature à émotions fortes identifiera sans peine des persiflages de James Bond, des scènes empruntées directement à l'*Histoire d'O*, des situations stéréotypées du roman rocambolesque; sympathisant de l'avant-garde, il reconnaîtra une parodie des *Chaises*, verra des allusions à Beckett; et, s'il connaît les classiques du cinéma, il sourira en retrouvant King-Kong. Sans doute s'agit-il surtout d'arché-types d'imagination érotique, soit d'éléments qui s'intègrent au schéma général de l'ouvrage; leur effet immédiat n'en évoque pas moins la raille-rie, voire la farce.

De plus, quelles qu'en soient les significations profondes, un certain nombre de passages apparaissent sous des dehors franchement humo-ristiques. Les interruptions intempestives du vieux roi fou Boris, les tergiversations du narrateur qui ne sait où attacher le chien de la ser-vante eurasienne, le sourire « extrême-oriental » des deux Tchang, le jeu des initiales SLS et des numéros 123456, le mouvement oscillant du revolver de Johnson qui tire cinq fois sur un homme qui se balance: « en bas, en haut, en bas, en haut, en bas » (*MR,* p. 211) — autant de notes légères qui dissipent l'atmosphère tragique. Parfois, on a affaire à des trouvailles dignes du surréalisme: l'histoire de l'esclave japonaise dont le cadavre dépecé fait les délices des clients d'un restaurant orien-tal. Comment s'empêcher de sourire? On passe à la lecture des pages plus sérieuses, mais toute idée de tragédie s'est enfuie.

Enfin, à l'exception de la dernière phrase, qui fait état d'une image unique, la plus belle peut-être du livre, l'ambiguïté des versions diver-gentes des événements et des circonstances qui convergent enfin sur ce point final contrarie le sentiment dramatique: Johnson, Manneret, Lady Ava, Lauren, ressemblent trop à des marionnettes dont on arrange et re-arrange à volonté les gestes et les mouvements pour qu'on puisse ressentir la tragédie de leur destin, ou la terreur de leurs expériences. Wallas était un Œdipe ridicule, Mathias un criminel inconscient, impuni, amoral, le jaloux un mari pathétique responsable de sa souffrance; dans la *Maison de rendez-vous*, les assassins, les victimes, les obsédés ne sont que possibilités de personnages tragiques, silhouettes entrevues par

84

l'imagination, destinées exemplaires et fatales mais retranchées de l'épaisseur humaine. *ou dire le roman de Robbe-Grillet ne doit pas être confondu à la réalité extérieure —*

Vue sous l'angle de l'écriture, de la structure, ou de sa signification principale, ou vue dans la perspective plus étroite et, tout compte fait, secondaire de l'anecdote exotique, il faut bien conclure que la *Maison de rendez-vous* reflète une vision du monde déjà familière, et cela par le truchement des moyens qui relèvent de plus en plus de la technique romanesque. La fatalité se manifeste toujours par une ordonnance idéale des éléments donnés comme objectifs. Mais ils deviennent de plus en plus artificiels. Dans le premier roman de Robbe-Grillet, l'ordre se dévoilait à mesure que se succédaient les étapes d'une légende intégrée à l'intérieur de l'histoire; dans le *Voyeur*, c'est par le caractère un peu forcé de meurtre rituel que s'affirmait la priorité de la fatalité sur les tentatives humaines de la nier; dans la *Jalousie*, le romancier avait recours à une perspective subjective pour faire comprendre la résistance impénétrable des faits, des gestes et des choses aux significations apportées par l'homme; dans le *Labyrinthe*, on a vu un narrateur investir volontairement les objets qui l'entourent d'une fonction d'éléments nécessaires. Le dernier roman reprend cette technique et la pousse à l'extrême, car à ces objets tangibles, se substituent des images désincarnées, transfigurées en données imaginaires, en éléments de structure, en reflets ironiques d'œuvres anciennes, et, dans ce nouvel état, servant de repères à la fatalité.

l'invention de l'auteur est de plus en plus technique et artificielle (procédés stylistiques, point de vue etc...) et l'anecdote passe au second plan, elle dépend de la technique choisie

Parallèlement à cette évolution, on remarque une transition de la réalité concrète à la réalité imaginaire comme lieu des activités humaines et du conflit fatalité-liberté. Si l'imagination jouait un certain rôle dans les *Gommes*, c'est seulement en tant que source à peine entrevue des actes incohérents des personnages qui se heurtent au schéma des choses sur le plan des événements neutres; dans l'aventure de Mathias, le contraste entre la nécessité objective et la désorganisation de la vie mentale mettait sur un pied d'égalité le monde réel et le monde imaginaire qui tenaient, à peu de choses près, la même place dans le livre; le mari jaloux était bien tout conscience, mais cette conscience, comme une huitre perlière, contenait encore une parcelle irritante, irréductible du monde extérieur autour de laquelle s'accumulaient les visions sécrétées par l'obsession; même le narrateur du *Labyrinthe* avait recours à des éléments concrets dans sa tentative de bâtir un monde imaginaire. La *Maison de rendez-vous* récuse tout appel à la réalité des choses, coupe toute amarre dans ce qu'on appelle le réel, s'établit d'emblée sur le plan de l'imagination. *ou* Même les références aux autres ouvrages de l'auteur ne mettent en cause que le produit d'une invention. Mais si, en conséquence, le dernier roman de Robbe-Grillet l'emporte en gratuité sur le *Labyrinthe*, la dualité qu'il propose entre la fatalité et la liberté ne fait que ressortir davantage. En effet, elle prévaut dans le domaine de l'imaginaire pur, dans un univers qui dépend de l'homme et où, pourtant, la force des choses s'affirme du moment qu'il s'agit de créer une réalité romanesque cohérente. A la leçon des *Gommes*: « On n'échappe pas à son sort » il convient d'ajouter: même si cet « on » n'est qu'un produit de l'imagination et, partant, indéterminé autant qu'indéfini. Il est vrai que cette précision s'imposait déjà pour les autres ouvrages, puisque tout roman, pour Robbe-Grillet, représente une création autonome d'une réalité fictive où tout est inventé. Mais, cette vision implicite, la *Maison de rendez-vous* la proclame ouvertement.

Dans ce sens, assurément, et malgré sa tonalité différente, le dernier roman de Robbe-Grillet ne représente pas une rupture d'inspiration comme le romancier l'a suggéré malicieusement dans ses interviews, mais au contraire un développement continu qui, par-dessus la parenthèse des ciné-romans, fait s'éclore des tendances qui n'osaient auparavant affirmer toutes leurs conséquences. Que cette élucidation implicite des démarches obscures des premiers romans soit chiffrée, il serait difficile de le nier; qu'il soit possible de lui donner un sens différent, cela fait partie des aléas de l'interprétation critique. Il n'en reste pas moins que la *Maison de rendez-vous* livre une vision du monde qui confirme et parachève l'enseignement de l'œuvre. D'ailleurs, la chose n'a rien de surprenant. En se plaçant, pour la première fois, au centre de la perspective, en élevant tout le projet au niveau d'une invention explicite, Robbe-Grillet est à même, enfin, de parler à visage ouvert et, tel ses personnages, d'apparaître sans détours dans l'exercice de sa liberté.

En revanche, s'il crée une œuvre où sa vision du monde garde la fraîcheur et la netteté d'une expérience directe, si sa présence protéenne au cœur de l'univers imaginaire lui permet d'aller au bout de ses idées, ces mêmes circonstances font qu'une ambiguïté, elle aussi plus extrême, brouille le récit subjectif qu'il entend transmettre au lecteur. L'équivoque qui, selon le schéma roobe-grilletien, s'attache surtout à l'activité humaine et qui, dans les romans précédents, s'exprimait sous forme d'obscurité, passant d'une énigme que l'ignorance seule introduisait dans l'ordre objectif à la confusion dont l'imagination créatrice entourait quelques éléments d'un donné neutre, devient ici la règle, le mode d'existence de la réalité romanesque. On a pu dégager des thèmes, des structures, des significations qui révèlent, dans le désordre de la création humaine, les manifestations de la fatalité; mais l'assemblage de cette charpente, la mise en œuvre de ce plan, ou encore, si l'on ose dire, l'état existant de cette vision essentielle, bref les effets directs de l'activité de l'auteur, sont on ne peut plus ambigus. Le roman offre au lecteur un archétype des rapports entre l'homme et le monde et, dans ce cadre, l'ébauche de quelques destins; mais pour retrouver ce schéma abstrait il faut accepter la coexistence d'une multiplicité de versions équivoques et contradictoires, sans jamais pouvoir postuler qu'une d'elles est définitive. Edouard Manneret est assassiné. Soit. Par qui, quand, comment? On ne le saura pas. Entre cet assassinat et les ennuis de Sir Ralph Johnson s'établit un certain rapport de causalité. Bien. Mais il est impossible de préciser sa direction. Une jeune femme se penche pour rattacher sa sandale. C'est clair. Il reste à savoir son nom (Loraine, Laureen, Lauren), le lieu de ce geste (Hong-Kong, une soirée à Paris, une scène de théâtre), etc. Même les repères donnés pour objectifs, voire pour sources concrètes de l'invention: illustré chinois, bague, récit de l'homme au teint rouge, rêveries érotiques, on ne peut en saisir ni la forme exacte, ni l'origine authentique, ni la place précise dans le jeu des reflets réciproques. La réalité romanesque s'apparente à un flux ininterrompu d'images éphémères, l'une contredisant l'autre; on a beau arrêter le mouvement, la mémoire des images passées enlève toute créance à l'image qui se fige. Dans ses écrits théoriques, Robbe-Grillet revendique pour le romancier le droit de « gommer » ce qu'il a écrit, de manière à ne laisser à la fin qu'une impression de « déception ». La *Maison de rendez-vous* démontre que c'est possible. Par la même occasion, surenchérissant sur la *Jalousie* et sur le *Labyrinthe,* le roman fait la preuve que cette affirmation de la liberté de l'écrivain conduit à l'écroulement d'un univers stable, à la désorganisation des coordonnées temporelles, géographiques, causales, à l'ébranlement profond de la masse du réel qui recouvre les structures fatales. Le monde romanesque de la *Maison de rendez-vous* se devait d'être plongé dans l'ambiguïté, sans recours à l'évidence des choses *là,* parce qu'il se proclamait invention, produit de l'imagination, activité « monstrueuse et incompréhensible ». En y consacrant son livre le plus récent, Robbe-Grillet a montré qu'il est resté fidèle à son premier choix de valeurs : au cœur d'un monde indifférent, c'est cette création chaotique, dérisoire, équivoque de l'homme qui forme le seul sujet digne d'attention.

CHAPITRE VIII

LE MONDE

Le spectacle d'un monde étranger à l'homme fait irruption dans l'œuvre de Robbe-Grillet sous la forme d'un quartier de tomate, placé à peu près au milieu des *Gommes*.

Auparavant, la dualité entrevue entre l'homme et le monde s'exprimait surtout au moyen de différents modes d'existence, soit par le contraste liberté-fatalité, ou s'inscrivait dans l'altérité des structures fondamentales, soit dans le contraste désordre-ordre; mais l'écriture proprement dite, et singulièrement la technique descriptive, n'insistait pas sur la distinction entre les deux domaines. Au contraire, si la première partie des *Gommes* contient déjà en embryon les mélanges futurs des points de vue objectifs et subjectifs, et des visions réelles et imaginaires, dans l'ensemble elle reste fidèle à l'optique traditionnelle et transcrit un monde anthropomorphe. Le langage de Robbe-Grillet n'y atteint pas encore le registre « chosiste » qui en fera, plus tard, le signe distinctif. Il décrit les choses et les gestes avec minutie et exactitude, mais dans une langue « contaminée » par les significations humaines. Dans la première séquence descriptive, on relève des façades qui « laissent deviner la modeste condition des locataires », des édifices « prolétariens » ou « hybridés de bourgeoisie », des immeubles « de bonne mine », une ville « triste », des canaux et des bassins qui « aèrent les esprits » (*G,* pp. 8-9). La reprise d'une description parallèle une trentaine de pages plus loin livre encore des briques « patientes », des immeubles qui « sentent » le travail et l'économie, des étages de « petits sous », des croisements de rues « entre les piles de registres et les machines à calculer », la « ligne de défense » des pignons, des ouvertures « myopes », des parois « rassurantes » (*G,* pp. 37-39). Ces lignes esquissent un monde miséreux et monotone des quartiers ouvriers et un monde cossu des hommes d'affaires — vision qui tient de l'engagement et, en tout cas, d'une complicité qui, loin de mettre de la distance entre l'homme et le décor, associe les deux éléments, puisqu'elle définit l'un en fonction de l'autre.

Peu à peu, dans cette vision traditionnelle, s'immiscent des images nouvelles, des tentatives de restituer les surfaces seules, sans réflexion de sentiments humains — ceux des personnages ou ceux de l'auteur. Elles semblent accompagner la progression du sentiment de la dualité monde-homme qui envahit le roman. Une lecture rapide, attachée aux enchevêtrements de l'anecdote, n'en remarque pas d'abord toute la portée; puis vient le quartier de tomate et, d'un mouvement décisif, le monde entier des choses bascule dans le registre du non-humain:

> Un quartier de tomate en vérité sans défaut, découpé à la machine dans un fruit d'une symétrie parfaite.
> La chair périphérique, compacte et homogène, d'un beau rouge de chimie, est régulièrement épaisse entre une bande de peau luisante et la loge où sont rangés les pépins, jaunes, bien calibrés, maintenus en place par une mince couche de gelée verdâtre le long d'un renflement du cœur. Celui-ci, d'un rose atténué légèrement granuleux, débute, du côté de la dépression inférieure, par un faisceau de veines blanches, dont l'une se prolonge jusque vers les pépins — d'une façon peut-être un peu incertaine.
> Tout en haut, un accident à peine visible s'est produit: un coin de pelure, décollé de la chair sur un millimètre ou deux, se soulève imperceptiblement (*G,* p. 151).

Tout le monde a remarqué ce quartier de tomate. Dans l'iconographie robbe-grilletienne, il fait figure de manifeste, voire de symbole; c'est « l'univers einsteinien » en réduction, le lieu géométrique, la chose objectale, le tableau en abyme de la faille existentielle, l'*être là* nettoyé de toute signification, le réel créé par l'écriture seule et qui se suffit. La première critique significative de Robbe-Grillet, celle que Robert Pingaud, Bernard Dort et, surtout, Roland Barthes ont lancée dès 1954 et qui, dix ans plus tard, survit encore dans le beau livre de Mme Bernal, semble issue de ce petit morceau de chair rose et rouge. D'ailleurs, son apport a été inestimable. En lui assignant les limites auxquelles elle n'a pas su toujours se tenir, en indiquant clairement ce qu'on en récuse, on pourra reprendre, en gros, ses conclusions générales touchant l'apparence du monde matériel chez Robbe-Grillet. Et d'autant plus que le romancier lui-même, tant dans ses essais que dans ses autres romans, soit qu'il fût raffermi dans ses desseins par les propos de ces critiques soit qu'une nécessité interne de l'œuvre eût dicté cette évolution, a perfectionné, raffiné, poussé à son extrême une technique descriptive devenue en même temps un procédé — le « chosisme » — et le mode d'être de l'univers non humain. Douze ans après les *Gommes,* dans la *Maison de rendez-vous* qui, pourtant, parle moins des choses et davantage des hommes, et où la description le cède à la narration, on retrouve le regard objectif qui commande la vision du monde, même dans ses aspects qui comportent une présence humaine. Au quartier de tomate répond l'instantané d'une jeune Eurasienne arrêtée, avec son chien, devant une vitrine et s'incorporant, un moment, au décor inhumain:

> Le pied droit de celle-ci, qui s'avance presque jusqu'au niveau de la patte arrière du chien, ne repose sur le sol que par la pointe d'un soulier à très haut talon, dont le cuir doré recouvre seulement d'un triangle exigu l'extrémité des orteils, tandis que de fines lanières barrent de trois croix le coup de pied et enserrent la cheville par dessus un bas très fin, à peine visible quoique de teinte foncée, noire probablement (*MR,,* p. 15).

Dans les deux textes, bien dissemblables à d'autres égards, on remarque l'absence totale de mots affectifs, de termes représentant des états humains, de figures de style transcendant la qualité des choses *là.* La tomate, le pied ne renvoient qu'à leur propre présence — une présence qui s'affirme et s'impose par le truchement d'un vocabulaire qui ne doit à l'homme que son origine. Si l'on retranchait de l'univers tout ce qui est strictement humain — désirs, émotions, idées — et, du langage, les adjectifs, les noms, les verbes et les adverbes qui y correspondent, le monde évoqué par les deux descriptions et par toutes celles qui, dans l'œuvre de Robbe-Grillet, s'effectuent sur le même registre, ne bougerait pas d'un pouce, ne laisserait voir aucun manque, bref poursuivrait intact une existence indifférente au sort des hommes. C'est dans l'image de ces derniers que se produirait la catastrophe: deshumanisés à leur tour, ils n'offriraient plus qu'une réflexion à peine animée de la matière, un automatisme tout en surface et sans mystère.

On peut en faire l'expérience sur un texte assez court, chronologiquement à mi-chemin entre les deux passages cités (1959) et consacré aux couloirs du métropolitain (*In,* pp. 77-93). Sujet suggestif, certes, par ce qu'il implique d'oppressif, de malsain, d'infernal, et par les possibilités qu'il prodigue de jeter un pont entre l'abattement des voyageurs et la sordidité des lieux, par la manière dont il invite tout au moins à insister sur l'un et sur l'autre. Robbe-Grillet y choisit trois aperçus: « L'escalier mécanique », « Un souterrain », « Derrière le portillon ». Et, en une quinzaine de pages, allouées en nombre égal à la description du décor et à celle des voyageurs, il fait exactement trois allusions à des émotions humaines: un personnage qui regarde devant et derrière lui, comme s'il voulait mesurer sa solitude, un autre qui « sans doute se demande l'objet de cette attention anormale » (*In,* p. 84), et des voyageurs attendant de pénétrer dans le wagon car « probablement quelque chose les empêche-t-il de le faire aussi vite qu'ils voudraient » (*In,* p. 92). Chaque fois, il ne s'agit pas d'une constatation de faits mais d'une hypothèse, d'une tentative hésitante à prêter aux personnages des réactions humaines qu'ils ne manifestent pas. En outre, ces sentiments sont extrêmement simples, presque instinctifs. Quant à la description du décor, elle ne contient qu'un seul exemple d'anthropomorphisme, d'ailleurs assez attendu: parlant d'une affiche à tête de femme, Robbe-Grillet lui prête un regard. Au reste, il le met bien en évidence, à la fin d'une section, comme pour en souligner le caractère abusif. A ces exceptions près — et on voit qu'elles ne pèsent pas lourd — les trois aspects de la vie du métropolitain se se passent totalement de nuances humaines. Eliminerait-on les passages en cause, l'ensemble n'en pâtirait guère. Car le monde que crée cette écriture « choisiste » existe en marge de la psyché de l'homme.

Tout ceci, les critiques prophètes d'un Robbe-Grillet « chosiste » l'ont dit et expliqué dans les moindres détails, l'ont développé jusqu'à ses conséquences ultimes. Qu'ils aient fait fausse route en voulant limiter à ce monde inhumain toute la vision de l'écrivain, perdant de vue qu'il y avait aussi des hommes, on peut l'attribuer au désir de centrer l'attention sur ce que l'œuvre paraissait apporter de plus surprenant sinon de plus original. En revanche, il semble bien qu'il convienne d'imputer à l'esprit de système certaines conclusions d'une portée exagérée touchant le caractère de ce monde.

Ainsi a-t-on affirmé que le langage de Robbe-Grillet lave les objets des significations impures dont l'homme les investit, ce qui apparaît évident à la lumière du caractère inhumain de l'univers matériel, et qu'il met à nu leur *être là* plus ou moins existentialiste, c'est-à-dire des surfaces livrées au regard mais dépourvues de sens, des « présences impénétrables » et incompréhensibles. Et cela paraît plus discutable. Que la perspective dominante dans l'œuvre de Robbe-Grillet soit surtout visuelle, passe encore, bien qu'en réalité la perception de l'œil s'y double souvent de celle de l'oreille et que les bruits y jouent parfois un rôle essentiel, tant pour la création du décor que pour le sens de l'anecdote ou pour la structure du récit. On n'oublie pas facilement la voix *off* de *Marienbad*, le bris de verre dans la *Maison de rendez-vous*, la sirène à la première page du *Voyeur*. Il y a aussi, dans ce dernier roman, le bruit des vagues qui s'écrasent contre la falaise au rythme du sang qui bat dans les tempes de Mathias ; le bruit des criquets et les cris nocturnes d'animaux dans la *Jalousie* ; voire l'étouffement des sonorités par la neige du *Labyrinthe*. Toutefois, nous voulons bien admettre que le bruit, comme la texture ou la température, appartient au même domaine d'apparences que les surfaces ; que l'ouïe, le toucher, voire l'odorat peuvent se réduire, par souci de systématisation, au sens qui certainement domine les autres, c'est-à-dire à la vue ; et qu'on ramène donc au *regard* la vision du monde matériel. L'essentiel, en cette matière, c'est que le romancier ne perçoit ce monde que dans ses manifestations extérieures, sans tenter d'en sonder les profondeurs.

Mais faut-il en déduire une absence de sens ? Il semble que les critiques, voire Robbe-Grillet théoricien, tombent dans le travers même auquel l'œuvre romanesque doit, selon eux, échapper, c'est-à-dire qu'ils n'envisagent de significations qu'humaines. De ce que le quartier de tomate, le pied, un souterrain de métro ne renvoient à rien d'humain et se contentent d'être dans leur extériorité, à froid, indifféremment, ils tirent l'impossibilité d'y distinguer aucun sens, d'y voir aucun ordre, d'y reconnaître aucun signe d'un dessein qui, étranger à l'homme, n'en suit pas moins des lois rationnelles et compréhensibles. Cependant, l'opacité et l'impénétrabilité des choses n'impliquent pas nécessairement qu'elles soient inscrutables et ne signifient pas.

Il est évident, d'abord, que la plupart des objets et des rares phénomènes naturels décrits par Robbe-Grillet remplissent une fonction précise, voulue par l'homme ou donnée par la nature, et que cette fonction définit un certain sens que le romancier ne met pas en doute. Dans le quartier de tomate, la loge où se rangent les pépins remplit bien sa mission d'abri puisqu'une gelée verdâtre les y maintient en place ; de plus, ils sont bien calibrés, correspondent bien à leur destinée de pépins. Les lanières en cuir enserrent le pied de la servante eurasienne de manière à retenir le soulier ; leur présence n'est ni gratuite, ni absurde, ni uniquement existentielle en tant que chose *là*, mais surtout fonctionnelle. L'escalier roulant, le portillon mécanique, les affiches des couloirs, la foule de voyageurs, sortent bien deshumanisés du traitement descriptif de Robbe-Grillet, s'emboîtent en un système souterrain tout neuf, tout nettoyé de la sensibilité de l'homme, mais, à l'intérieur de ce système, font preuve des mouvements, des rapports réciproques, des structures dictés par certaines fonctions. Roland Barthes, reconnaissant ce caractère fonctionnel des objets chez Robbe-Grillet, prétend cependant qu'il disparaît à mesure que la description appuie sur le détail visuel et que la fonction, l'ustensile, se transforme en espace. C'est vrai, sans doute, pour certains objets privilégiés — sur lesquels il faudra revenir et qui, en effet, transcendent leur fonction utilitaire habituelle — et pour certains niveaux de signification fonctionnelle. Le quartier de tomate, par exemple, tel qu'il se trouve décrit dans les *Gommes,* ne transmet pas le sens habituel d'un hors d'œuvre; et les affiches du métro ne se définissent pas comme suggestions publicitaires. En revanche, dans les deux cas, la description fait état de fonctions internes ou externes de ces objets, considérés en eux-mêmes ou en rapport avec les ensembles dont ils font partie. L'erreur de Roland Barthes provient, encore une fois, de l'illusion anthropomorphe, de l'aveuglement à l'existence des fonctions qui ne se rapportent pas directement à l'homme. Au reste, la grande majorité d'éléments matériels du monde de Robbe-Grillet garde les fonctions humaines et, partant, une signification facilement reconnaissable.

Les possibilités de signifier ne se bornent d'ailleurs pas à la fonction. Les mêmes critiques qui parlent de l'absence de sens dans l'univers de Robbe-Grillet excipent du caractère géométrique de ses descriptions pour montrer sa volonté d'épurer la langue. Les passages descriptifs de la *Jalousie* — bananeraie ou ombre du pilier — offrent les modèles du genre, mais l'œuvre entière s'encombre de lignes droites, demi-cercles, parallèles, tangentes, ellipses, courbes, pyramides, globes, distances et volumes mesurés exactement en centimètres, rapports exprimés en figures, décalages rapportés en degrés, superficies relevées scientifiquement. Le verbe *être* y règne, suivi par *se trouver* et l'expression *il y a,* puis par des *couper, intersecter, s'aligner, s'orienter, se tourner, s'élever,* etc., à moins, évidemment, que le romancier ne leur substitue un *on voit* également neutre. Cette géométrie du décor protège sans nul doute de la contamination anthropomorphe. Il est difficile d'imputer des sentiments humains ou des manifestations d'absurdité à un triangle ou à un parallélipipède. En revanche, ce que les critiques semblent avoir perdu de vue, tout comme des formules mathématiques qui expriment des vérités ou des hypothèses abstraites indépendamment des interprétations humaines, ces symétries et ces relations géométriques comportent des significations en marge des états affectifs des personnages ou de l'auteur. En fait, leur sens neutre, tel un plan d'architecte, prête moins à l'équivoque que les descriptions classiques qui visaient à dégager obscurément un cœur romanesque des choses. Précisément parce qu'il ne tient qu'aux surfaces et dédaigne la profondeur, ses renseignements sont exacts, indiscutables, sûrs, du même ordre que deux et deux font quatre. La vision du monde offerte au moyen de telles significations n'est nullement indistincte; au contraire, elle s'ordonne selon des schémas les plus universels.

En effet, que ce soit dans sa signification fonctionnelle ou dans sa signification géométrique, l'élément du décor sur lequel se pose le regard n'est habituellement perçu que dans son sens le plus général, le plus essentiel. Sans doute le regard comporte-t-il des servitudes et l'angle de vue présuppose-t-il une sélection des traits enregistrés. Ainsi pour un dessous de plat: « le dessin en est entièrement masqué, du moins rendu méconnaissable, par la cafetière qui est posée dessus » (*In,* p. 9). Des indications de direction, droite et gauche, devant et derrière, se rapportent aussi toujours à quelque spectateur. Mais il s'agit ici de défauts de la vision et non de l'obscurité de la chose vue. De même, la multiplicité des formules hypothétiques ou restrictives, les *peut-être, sans doute, probablement, du moins, à moins que, vraisemblablement,* traduit les hésitations et l'incertitude de l'élément humain, l'imperfection de l'œil ou la gratuité de l'invention; elle ne met pas en cause la stabilité et la clarté de l'évidence offerte par le décor. *Ceteris paribus,* Robbe-Grillet peint le monde à la manière de Poussin plutôt qu'à celle des impressionnistes, dans le style d'un Braque plutôt que dans celui des surréalistes: ses sujets inanimés témoignent d'une composition presque classique qui transmet ce qui *est* plutôt que ce qui *devient,* une perfection statique plutôt qu'un mouvement à surprises. La précision géométrique et l'indifférence des mots neutres arrachent les objets à l'instabilité du temps et les figent dans des états essentiels. Le quartier de tomate, le pied posé sur sa pointe, l'escalier mécanique, sans rien perdre de leur existence tangible, tendent à dépasser le stade d'une présence accidentelle et éphémère dans le champ de vision, pour se constituer en modèles de l'espèce, s'identifier à une représentation idéale, à un stéréotype sinon à un archétype. Ce n'est point un hasard que *se figer* et *figé* comptent parmi les mots préférés de Robbe-Grillet, assurant au monde une fixité qui fait contraste avec les termes qui traduisent son appréhension par l'homme. Et il est significatif que le présent, non historique mais atemporel, est le temps favori du romancier. Il s'agit de saisir le monde dans un état magique et immobile où tout est identique à soi, ne renvoie qu'à soi et, ainsi, combine existence et essence en une image complète. De là, aussi, la technique saccadée d'une succession de plans statiques pour traduire un mouvement, quand le sujet l'impose. La culture des bananes se décompose en une douzaine stades de récolte, sans rapports les uns avec les autres, chacun apparaissant comme un état final; les voyageurs immobiles sur l'escalier mécanique forment une seule image où un mouvement de tête n'introduit qu'un frémissement passager; et lorsqu'un tableau de Moreau inspire une scène de torture érotique, c'est par plans statiques qu'elle progresse ou plutôt rétrograde. On a souvent comparé le style de Robbe-Grillet à la technique cinématographique; il conviendrait mieux de parler de la lanterne magique, ou du dessin d'une bande animée, avec sa suite de petits tableaux indépendants et achevés, tout prêts à être amplifiés en grandes toiles du *pop art.*

Dans l'ensemble, le monde extérieur n'est donc nullement inscrutable et dénué de tout sens; au contraire, ses surfaces présentent des significations non équivoques fixées par un « vernis » fait du pur éclat d'une matière étrangère à l'homme. Avant d'en esquisser les grandes lignes, il faut cependant rendre compte de diverses failles qui interrompent les figures géométriques, bouleversent le mécanisme fonctionnel, introduisent des imperfections dans les images archétypales, et dont la fréquence a été invoquée par les critiques comme preuve du caractère mystérieux du monde robbe-grilletien, toujours sur le point de basculer dans l'abîme: coin de pelure décollé du quartier de tomate, fêlure dans le marbre de la commode, pont-bascule qui coupe l'itinéraire et laisse un interstice en s'abaissant, lettres qui manquent dans les noms des rues ou sur une gomme, quelque chose d'inachevé dans le dessin d'une mouette, fauteuil hors d'alignement, bref une multiplicité de fissures auxquelles s'accroche le regard des personnages et du lecteur. Or, selon Mme Bernal, qui généralise les observations de certains de ses prédécesseurs, ces failles ont une signification phénoménologique, représentant un manque fondamental, un creux au centre de la réalité humaine. On peut s'étonner de cette interprétation allégorique. On retient en tout cas l'aveu que, pour négative qu'elle soit, une certaine signification non humaine peut s'inscrire dans les descriptions de Robbe-Grillet. Mais faut-il s'y tenir ? Est-elle correcte ? N'exagère-t-elle pas la portée d'un procédé tout compte fait secondaire ? Ne s'agit-il pas, en somme, d'une nouvelle projection d'un sens humain sur le décor neutre ? Il vaut mieux commencer par distinguer nettement entre l'existence des failles d'une part et leur perception par les personnages de l'autre.

A ne considérer que la présence objective des failles dans un monde par ailleurs bien ordonné, il apparaît en effet qu'elles sont moins nombreuses et, surtout, moins significatives que les critiques ne voudraient le faire croire. Assez fréquentes encore dans les *Gommes* et dans le *Voyeur,* elles se font plus rares dans la *Jalousie,* se limitent surtout à la description de la chambre dans le *Labyrinthe,* disparaissent presque complètement, sous leur forme matérielle, dans les ciné-romans et dans la *Maison de rendez-vous.* De plus, fût-ce dans les premiers romans, ils portent peu atteinte à l'ensemble de la représentation du décor. Leur rôle, tout compte fait, se réduit à l'importance du bout de pelure décollé dans la description du quartier de tomate « en vérité sans défaut »: un petit accroc « imperceptible » à la perfection, un « accident à peine visible » qui ne sert qu'à mieux faire ressortir l'harmonie du système qu'il dérange, à la limite: un petit rappel du caractère existentiel d'une essence. Dans l'itinéraire circulaire de Wallas, la coupure du pont-bascule n'est qu'un battement d'un instant qui jalonne la marche plutôt qu'il ne l'interrompt; la fissure dans le plafond de la chambre du *Labyrinthe,* faisant pendant à la fissure dans le marbre de la commode, est plus significative par la fonction qu'elle remplit dans cette correspondance que par ce qu'elle apporte ou détruit dans l'arrangement des lieux; et les rues monotones des villes de Robbe-Grillet ne comportent pas, elles, de faille. Bref, s'il est exact que les failles témoignent d'une impureté, d'une contamination temporelle d'une réalité statique, si elles en entament l'ordre et le sens universel par l'effet d'un imprévu très humain, formant ainsi une zone floue où l'ambiguïté de l'homme se réfléchit dans l'incertitude du décor, il reste qu'au regard des grandes structures du monde cette zone n'a pas plus d'importance qu'une bavure insignifiante au coin d'une épure impeccable.

Et qu'on remarque immédiatement. Car, devinant comme par instinct une homologie entre son mode d'être et les imperfections dans la nature des choses, c'est à ces fêlures que s'attache l'attention du personnage, c'est en elles qu'il cherchera des repères pour établir un contact avec un monde étranger. En même temps que certains objets privilégiés, qui eux aussi acquièrent une signification humaine par la projection de l'intention des personnages, les failles tranchent sur l'uniformité indifférente du décor et prennent une importance romanesque démesu-

94

rée. Leur présence dépend, dans ce sens, de celle de l'homme, de l'activité humaine; et surtout, pour anticiper, de l'effort pathétique de l'individu pour s'assimiler le monde, faire sien ce qui ne l'est pas, dépasser sa solitude. Mais c'est en vain qu'il tentera de s'immiscer dans ces interstices de la réalité; ceux-ci n'éraflent que la surface; et les données permanentes du monde ne présentent aucune fissure. Dès lors, parler d'un manque, des abîmes d'incertitude, c'est tomber dans l'illusion des personnages, prêter une dimension métaphysique à ce qui, concrètement, se réduit à des traces de rouille sans effet sur le fonctionnement de la mécanique du monde.

La faille apparaît ainsi comme une note isolée dans l'orchestration de l'univers, une petite touche de non-sens telle l'interruption imprévue de la chaussée portuaire qui « à cet endroit semblait coupée sans raison » (*V*, p. 43). Par contraste, cependant, elle permet de mieux percevoir le caractère dominant du monde matériel, le sens général du grand ensemble composé par les surfaces ou les volumes particuliers, à savoir: une organisation rationnelle, fondée sur une logique formelle, voire sur l'esthétique d'un calculateur. En effet, quelles que soient leurs significations concrètes, les éléments individuels se disposent rarement au hasard dans l'univers de Robbe-Grillet. Leur arrangement propose des séries mathématiques, des réflexions réciproques, des correspondances multilatérales. En fait, dans le cadre de ces symétries savantes où chaque objet trouve plusieurs répondants, on hésite à parler d'éléments uniques, de phénomènes originaux. On a plutôt l'impression d'un montage mécanique de dessins décoratifs où les mêmes motifs se répètent dans des figures soigneusement réglées de manière à produire des effets d'identité. Il ne s'agit pas ici des tableaux « en abyme » ni des échos intérieurs qui donnent une fatalité structurelle aux romans; c'est le décor lui-même qui s'organise selon un plan dont les éléments se répondent. Les plus frappants de ces jeux de miroir ont été relevés par les critiques. Bruce Morrissette, par exemple, a bien montré à quel point la forme de huit hante le *Voyeur*, ou la circularité les *Gommes*, toutes les deux impliquant une idée de l'infini; et, visiblement, il a fallu qu'il limite le nombre d'exemples. On peut seulement regretter qu'il se soit borné à attribuer cette permanence d'un motif aux préoccupations formelles du romancier. De même s'est-il contenté de signaler les correspondances entre les divers éléments de la chambre du narrateur dans le *Labyrinthe*, sans en tirer de leçon plus générale. Pourtant, si le jardin français de *Marienbad* se retrouve dans le décor d'une pièce de théâtre, sur une gravure pendue au mur, dans l'imagination du personnage qui recrée un autre jardin à la française, si M apparaît sur un portrait au-dessus de la porte par laquelle X et A vont sortir, si le pavillon du professeur Dupont se retrouve sur une carte postale et sur une toile de peintre, si les statues placées dans le jardin de la Villa Bleue réapparaissent sur l'étagère de Lady Ava, si le boulevard circulaire des *Gommes* se transporte dans le *Labyrinthe*, si la polarité chambre-ville (hôtel-jardin, passé-présent) et tel autre thème d'un ouvrage reviennent avec régularité dans les autres, si, en général, il y a tant de photos, de tableaux, de pièces, de rues et de maisons qui se ressemblent, de rencontres miraculeuses, de formes magiques, de rythmes recommencés dans les romans de Robbe-Grillet, ne faut-il pas y voir des effets évidents et concertés d'une vision qui, dans le monde des surfaces, trouve la manifestation de certaines lois sérielles, des cycles de signification, des constantes d'organisation? On pourrait en multiplier les exemples. Ils n'ajouteraient rien à l'image d'un univers presque mécanique, composé, dirait-on, d'objets fabriqués en série et disposés en ordre, chaque chose se trouvant reproduite à un nombre indéfini d'exemplaires qu'une perspective propice permet d'entrevoir, l'un derrière l'autre, en une suite de reflets. On y chercherait en vain l'individualité et la liberté qui définissent l'homme: tout semble cas d'espèce.

L'expression la plus intéressante de ce décor quasi futuriste, fait de modèles dont la description minutieuse ne parvient pas à déguiser le caractère stéréotypé, c'est l'arrangement de l'espace romanesque, du lieu précis monté par le romancier pour y faire agir ses personnages. On pouvait s'attendre à ce que ces endroits imaginaires soient bâtis sur des plans simples, ou même simplistes, inspirés par un petit nombre de schémas mentionnés plus haut: construction concentrique, grille rectiligne, polarité. En théorie donc, lecteur attentif, on ne devrait éprouver guère de difficulté à s'orienter dans cet espace. Certains autres soi-disant « nouveaux romanciers » ont eu recours à des cartes pour familiariser le lecteur avec la mise en scène et l'emploi du temps de leurs personnages; ici, semblait-il, la nature même du décor allait permettre de suivre facilement les déplacements des protagonistes en ligne droite, en cercle, en aller et retour. D'autant plus que Robbe-Grillet n'éprouve visiblement que peu d'intérêt ou de curiosité pour une nature sauvage aux paysages irréguliers, met des bananeraies modernes au milieu de la jungle tropicale et, en général, favorise les constructions urbaines, les lieux civilisés, plus aptes à faire preuve de régularité. Et pourtant, dans l'ensemble, son espace romanesque reste étranger à l'homme.

Bernard Dort, qui a très justement remarqué l'aspect topographique et, partant, déchiffrable de cet espace, voit dans la présence des failles l'explication de ce paradoxe: il suffirait d'une fissure, pour que l'espace tout entier s'abîmât dans l'inconnu. Nous avons dit plus haut pourquoi cette théorie ne semble pas plausible. Il est préférable de s'en tenir à l'incompatibilité entre la nature rationnelle du monde et l'incohérence innée des protagonistes de Robbe-Grillet. Si Wallas, Mathias, le soldat, et parfois le lecteur à leur suite, se perdent dans l'espace qui les entoure, c'est d'abord parce qu'ils en ignorent ou ne comprennent pas le plan. En effet, les démarches humaines n'étant pas, elles, rationnelles, ne s'orientent pas naturellement selon des schémas géométriques, et l'espace le plus rigoureusement organisé tend à se présenter à l'homme sous l'aspect d'un labyrinthe. Encore pourrait-on distinguer ici entre le personnage et le lecteur. Ce dernier bénéficie souvent de la vision de l'écrivain qui, lorsqu'il s'exprime en son propre nom, transmet honnêtement l'apparence objective du décor et fournit les clés des dédales. Si Wallas tourne en rond tant qu'il ne consulte pas le plan de la ville, après quoi il « se sent moins étranger dans cet espace ainsi jalonné » (*G*, p. 54), le lecteur sait depuis le début qu'une triple ceinture enferme la ville aux maisons « toutes pareillement simplifiées, sans balcons ni corniches ni décorations d'aucune sorte » et aux « rues perpendiculaires, absolument identiques » (*G,* pp. 37, 38); de même, il comprend mieux que Mathias la géographie de l'île. A mesure, toutefois, que la perspective subjective l'emporte, l'espace devient labyrinthique pour le lecteur comme pour le personnage. Il éprouve la même difficulté à se reconnaître au milieu des bâtiments similaires, des couloirs semblables, des parcelles indistinctes d'une bananeraie, des allées régulières, des impasses exotiques, des entrées de maisons obscures. Partout il retrouve une uniformité et une monotonie qui l'enferment dans un espace sans issue, où les coupures et les fissures ne sont qu'un leurre.

Si l'on considère de plus près la nature concrète de l'espace robbegrilletien, on est frappé par le choix délibéré des lieux fermés, circonscrits, encerclant les personnages. Quel que soit l'endroit inventé — ville (trois fois), île (deux fois), hôtel ou villa (villa qui est presqu'un hôtel) — il « ressemble à une prison » (*ADM,* p. 14). A l'intérieur, l'enchevêtrement des passages; à l'extérieur, canaux, mer, murailles, jungle. Et, comme dans une prison, une ouverture sur la liberté. Dans les *Gommes,* c'est l'océan tout proche avec l'odeur du varech et les sirènes qui « aèrent les esprits... » et leur apportent à l'heure de la marée l'espace, la tentation, la consolation du possible (*G,* p. 9); dans le *Voyeur,* c'est le vapeur qui emportera Mathias loin de son cauchemar, mais seulement après que celui-ci se soit déroulé jusqu'au bout; ailleurs, la route du port, un navire, une photographie d'un café européen, une chambre confortable, un avenir de rêve, encore la mer, à deux reprises. Cette possibilité d'évasion qui clignote au fond des consciences — Paris, le continent, l'Europe, Macao — ne fait pourtant que renforcer le sentiment de réclusion; et ceux qui finissent par s'échapper, ne s'en rendent même pas compte; on dirait qu'à force de se cogner contre les parois de leurs prisons, ils ont émoussé leur sensibilité.

Par ses caractères essentiels, l'espace romanesque se dévoile ainsi étranger à la nature humaine de manières différentes mais complémentaires. Comme si cela ne suffisait pas, Robbe-Grillet souligne le contraste par un dépaysement artificiel, anecdotique, qui ne dérive pas de sa vision de l'univers mais qui l'accentue par son caractère systématique. Dans plusieurs œuvres, le dépaysement s'étend même au lecteur, puisque le décor le transporte dans des pays exotiques ou imaginaires, peu familiers en tout cas, où il se heurte à l'inconnu. Pour les personnages, cet exil constitue le mode d'être permanent. Tous, au moment où ils se mettent à exister, sont des étrangers à l'endroit où ils se trouvent; et si Wallas était venu, enfant, dans la ville portuaire, si Mathias avait passé son enfance sur l'île, Robbe-Grillet fait comprendre que leurs souvenirs les trompent ou qu'ils ne signifient rien. Pour les autres protagonistes, la qualité d'étranger tend à s'accuser. Dans la *Jalousie,* il s'agissait de colons, exilés certes, mais établis déjà dans leur possession tropicale; dans le *Labyrinthe,* le soldat voyait pour la première fois une ville que l'ennemi allait occuper; dans *Marienbad,* X faisait figure d'intrus dans un milieu cosmopolite, raffiné; dans l'*Immortelle,* un professeur français venait d'arriver à Constantinople; enfin, dans la *Maison de rendez-vous,* les personnages principaux étaient des étrangers vivant dans une ville étrangère. Sans doute, cette notion de dépaysement n'est-elle pas originale, et l'on pourrait citer plusieurs romanciers récents qui en font usage, mais nulle part ailleurs, sauf peut-être chez Claude Ollier, ce procédé ne devient règle absolue. Le rapport entre l'homme et le milieu s'avère difficile sur tous les territoires de la mappemonde robbe-grilletienne.

Cependant, tout n'est pas totalement étranger à l'homme dans l'univers de Robbe-Grillet. A côté des failles, dont l'imperfection offre un lieu de repos pour un regard fatigué de surfaces lisses et géométriques, le monde matériel contient aussi un certain nombre d'objets qui, en plus ou au lieu de leur signification objective, se trouvent investis d'un sens spécial par l'auteur ou par les personnages. Ces objets privilégiés jouissent d'un statut particulier dans la vision du romancier. Leur nature, leur fonction ont donné du fil à retordre aux critiques. D'autant plus qu'il s'agit en réalité de diverses sortes d'objets, nantis de diverses fonctions. Et que, pour les véritables amateurs de Robbe-Grillet, il fallait éviter de trébucher sur le détestable symbole. A cet égard, rien de plus admirable, de plus inventif que le pas de danse de Bruce Morrissette autour de *la gomme* — premier exemple d'objet privilégié dans l'œuvre du romancier: la gomme de Wallas aurait tout d'un symbole sauf une correspondance intérieure baudelairienne avec le sentiment ou l'idée qu'elle représente; sa valeur symbolique lui viendrait uniquement de l'extérieur, serait projetée sur elle par le personnage ou par l'auteur en vertu d'un acte plus ou moins arbitraire (car, tout de même, la substance molle de la gomme invite un peu cette projection, ou la justifie); on parlera donc de corrélatif objectif et le tour sera joué. Le terme n'est pas mal trouvé. Encore qu'on aurait pu dire corrélatif subjectif, puisque la corrélation se fait à partir de l'intériorité d'un personnage, ou de l'intention du romancier. De toute manière, quel que soit le nom qu'on choisit, il reste que la gomme se trouve pourvue d'une signification humaine, fût-elle déposée du dehors. (On comprend que Mme Bernal ne puisse admettre une telle interprétation et qu'elle y substitue la théorie de la gomme-objet fictif, les autres corrélatifs objectifs devenant des objets oniriques).

Le cas de la scutigère dans la *Jalousie* est plus complexe déjà. La gomme était support des passions du personnage, mais cette charge affective n'en altérait pas l'apparence; le mille-pattes, tout en « symbolisant » le sentiment de jalousie, témoigne aussi des déformations qu'elle entraîne dans la perspective du personnage: la trace de l'insecte écrasé sur le mur grandit, raccourcit, se diversifie selon l'intensité de la passion. On voit où cela mène. Puisqu'il n'est d'autre point de vue sur la réalité du monde que celui du mari jaloux, au reste très respectueux des dimensions géométriques de la terrasse ou de la bananeraie, c'est donc cette réalité elle-même qui se met à bouger sous l'influence des passions qui dénaturent l'objectivité du regard; partant, l'activité humaine, au niveau de l'obsession, réussit à arracher quelques objets à l'indifférence du monde et à leur insuffler une existence conjuguée au rythme irrégulier de la vie. Bien entendu, il ne s'agit que d'une harmonie imaginaire, d'une représentation mentale derrière laquelle se devine une réalité immuable; mais le fait demeure que cette sorte de corrélatifs pas tellement objectifs servent à jeter un pont entre l'homme et les choses.

98

Dans les deux cas, il s'agissait tout de même de corrélatifs, donc de correspondances arbitraires. Mais tous les objets privilégiés ne tombent pas dans cette catégorie. Lorsque, dans le *Labyrinthe*, le soldat trouve une bille dans sa nouvelle capote, cette présence insolite ne renvoie à rien d'autre qu'à l'objet en soi: une boule en verre ordinaire, noyau noir et brillant. Pourtant, on a l'intuition qu'une certaine signification qui dépasse la fonction utilitaire s'attache à cette forme lisse et dure; on a l'impression, au milieu du délire du protagoniste, que le romancier a voulu rappeler la nature indifférente et irréfutable des choses. De même pour le quartier de tomate. Mais alors, ne faudrait-il pas parler de symbole? Ou encore, lorsque Mathias, après le crime, passe à côté du cadavre écrasé d'une petite grenouille, « cuisses ouvertes, bras en croix » (*V*, p. 167), n'a-t-on pas affaire à un symbole flagrant, dans le sens baudelairien, et introduit par le romancier lui-même? De toute manière, la bille et la grenouille, et le quartier de tomate si l'on passe sur la petite imperfection (qui, au reste, si on la prend au sérieux, renvoie très symboliquement à l'imperfection des mesures anthropométriques de Wallas), jouent un rôle certain dans le système de références qui s'établit entre l'homme et le monde — l'auteur, le lecteur, le personnage et le décor — et surmontent ainsi leur sens purement « chosiste ».

Un grand nombre d'objets cumulent la fonction de corrélatifs (rapport avec le monde par le truchement des émotions du personnage) et la fonction d'éléments structurels (rapport avec le monde par le truchement des intentions de l'auteur). Ici encore on peut distinguer entre diverses catégories. Dans certains cas, il s'agit de signes visibles de la fatalité que le romancier dispose autour du personnage, et que celui-ci charge de significations personnelles; celles-ci ne correspondent pas nécessairement au sens structurel. Par exemple, dans le *Voyeur*, la ficelle, les paquet de cigarettes, déclanchaient en Mathias la sécrétion de ses obsessions; insidieusement, dangereusement, il se sentait en rapport avec eux; pour le romancier, par contre, ils tenaient le rôle d'éléments du monde neutre dont l'arrangement, au milieu des structures objectives et indifférentes, faisait entrevoir le dessin d'un sort fatal. D'autres objets font fonctions de madeleines, relâchant le flux des souvenirs du personnage et servant simultanément de pivot entre deux niveaux temporels de la réalité romanesque. Il en est d'autres, enfin, dont la signification particulière ne provient que du sens inventé par le romancier dans sa recherche des données stables pour la construction de son œuvre imaginaire; c'est le cas, par exemple, du tableau dans le *Labyrinthe*, voire des statues de la *Maison de rendez-vous*, bien que celles-ci touchent également au symbole.

Quelle est donc la signification générale de tous ces objets privilégiés qui dérogent ainsi à la vision du monde matériel? Il semble bien que, sous le vernis « chosiste » qui fait contrepoids à leurs fonctions humaines, ils ont tous en commun le caractère de repère. Si l'attention du personnage ou du romancier se porte sur ces éléments-là et non sur d'autres, si l'effort humain visant à envahir le milieu par des significations forgées par l'homme s'attache à ces objets-là et non à mille autres, décrits avec la même précision mais sans arrière-pensée, c'est que, accident ou disposition favorable des structures romanesques ou encore préméditation de l'auteur, ils tranchent davantage sur le décor, accrochent plus facilement le sens humain, sortent un peu de l'alignement monotone de la réalité neutre, bénéficient d'un appel magique dont il est difficile de dire s'il vient de leur nature ou s'il leur est attribué par le regard, mais fait que le contact s'établit. Est-ce pour cela qu'ils sont presque tous des produits de l'industrie humaine? Lorsque Mathias aborde l'île, son premier souci devant cette réalité nouvelle, apparaissant sous la forme de surfaces uniformes, maisons pareilles, falaise identique d'un bout à l'autre, ligne mouvante et obscure entre la digue et les flots, est d'essayer de « prendre un repère » (*V, p. 15*). Il ne s'apaise qu'au moment où son regard s'arrête « sur un signe en forme de huit, gravé avec assez de précision pour qu'il· pût servir de repère » (*V, p. 16*). De même, il pense déjà à la dernière maison du bourg (où habite l'infortunée Jacqueline) parce que d'elle seule il avait connaissance préalable, donc qu'elle faisait fonction de repère. Mathias, dans cette attitude, agit en personnage type de Robbe-Grillet, se comporte comme l'auteur lui-même, voire comme le lecteur qui entre dans l'univers créé par le romancier: s'y trouvant en étranger, glacé par l'indifférence de ses surfaces et de ses objets en série, il s'attarde aux fêlures qui dépareillent cet ensemble et, pour le reste, s'invente des repères, objets privilégiés ou familiers, auxquels accrocher des significations humaines, par défi au monde.

Dans ce sens, au niveau de la description, c'est donc une véritable tension qui se produit entre la vision objective et la vision subjective, entre des significations rationnelles et des significations affectives, entre le décor neutre et des foyers de contamination — une tension qui, dans le domaine des choses, reproduit la dualité fondamentale entre un monde ordonné et l'homme créateur de sens.

CHAPITRE IX

L'HOMME

De quelque manière qu'on aborde la vision du monde de Robbe-Grillet, on revient toujours à l'homme. Il n'y a là rien de surprenant dans une œuvre qui, de l'aveu de l'auteur, « ne s'intéresse qu'à l'homme et à sa situation dans le monde » (*PNR,* p. 116). La critique, pourtant, s'est peu préoccupée de cet aspect de la création romanesque. On a glosé d'abondance sur le caractère des choses, on a émis des remarques très justes sur la technique du romancier, on a déchiffré avec application le sens de l'anecdote, on a même entrepris d'expliquer les romans en fonction de la sociologie et de la psychanalyse; dans la perspective de ces études, le Robbe-Grillet chosiste coexiste avec un Robbe-Grillet technicien, un Robbe-Grillet psychologue, un Robbe-Grillet phéno-ménologue.

Mais comment le romancier conçoit-il l'homme, qui se trouve au centre de ses préoccupations et de son œuvre, et qui constitue souvent à la fois la justification et le produit final de ses démarches, on ne s'est guère soucié de le dire. Peut-être d'autres matières paraissaient-elles plus urgentes. Peut-être l'analyse de la condition humaine semblait-elle s'accorder mal avec une œuvre donnée pour révolutionnaire. Et, peut-être, l'écrivain, par ses manifestes, a-t-il réussi à décourager de telles investigations. Quelles qu'en soient les raisons, cette indifférence laisse un espace vide dans la vision du romancier — un trou par lequel risquent de s'échapper les significations proposées par la critique.

Quel est donc cet homme qui, avec tant d'obstination, affronte un univers déshumanisé?

Dans les grandes lignes, nous l'avons défini par le contraste avec le monde auquel il fait face. Au caractère rationnel de ce dernier, il oppose l'incohérence de ses idées, la fantaisie de ses projets, l'invention de son imagination; à l'ordre, il réplique par la désorganisation; entouré d'images réfléchies en série, il proclame son individualisme; sur un décor harmonieux, déchiffrable, il tranche par une obscurité épaisse, irréductible à l'intelligence; enfin, dans un système de significations neutres et stables, il se dévoile mouvant. Récusant la fatalité, il porte en lui la liberté et, avec elle, la contradiction. Son attitude envers le monde combine curiosité et suspicion, attraction et frustration. Il l'éprouve indifférent, mais ne peut s'empêcher d'être fasciné par son existence parallèle à la sienne. Bref, dans un univers de surfaces élémentaires, il donne l'impression d'un foyer d'énergie, exigu mais complexe, chargé d'un potentiel affectif et inventif incontrôlable et qui s'épuise en chimères.

En somme, par ces traits fondamentaux, qui résument sa condition au plus haut niveau de généralisation, il tient un peu du héros romantique, se confrontant, lui aussi, à un monde étranger. Comme lui, il est essentiellement seul. Mais là s'arrête la ressemblance. Car si l'on regarde de plus près l'homme de Robbe-Grillet aux prises avec le monde et la solitude, si l'on considère une à une les rares constantes qui se dégagent de l'expérience concrète des personnages, il reste peu de traces du romantisme. L'individu demeure isolé, mais cet isolement se dépouille de significations tragiques ou héroïques; au lieu d'une condition dramatique, il devient une situation pathétique et, parfois, seulement pitoyable; s'il donne le ton à la présence humaine, il la ravale plutôt qu'il ne l'exalte.

Une fois qu'on en a établi le caractère catégorique et déterminé les raisons essentielles, la solitude de l'homme au sein de l'univers physique n'est pas très intéressante en soi. Il est évident que la nature et les choses, telles qu'elles apparaissent dans les romans de Robbe-Grillet, n'offrent guère de prises aux relations de complicité. Même les failles, les objets privilégiés déformés par le regard gardent leurs formes neutres: le mille-pattes géant entrevu pendant le paroxysme de la jalousie se définit dans les mêmes termes objectifs que sa version grandeur nature. L'intérêt du rapport homme-monde gît plutôt dans les réactions humaines à cette situation. Car les personnages de Robbe-Grillet n'abandonnent pas facilement la partie. Intrus dans l'univers des choses en soi, ils s'obstinent à se l'approprier, à l'organiser, à essayer de le comprendre en y projetant leurs significations. Ils parcourent les rues pour s'assimiler leur géographie, inventent des itinéraires compliqués pour fragmenter le temps et l'espace en sections réductibles à leur entendement, enregistrent exactement les états successifs de la construction d'un pont ou de la culture d'une bananeraie, retracent les dédales des couloirs d'hôtels baroques, relèvent les plans des jardins français ou exotiques. Une véritable activité de prospection s'effectue ainsi dans le camp de l'homme, culminant dans l'établissement des repères, éléments hybrides et instables, moyens de dépasser l'isolement et jeter un pont entre l'intériorité et le monde. Malheureusement, la circulation s'y fait à sens unique.

Les motifs, l'unilatéralité, l'échec de ces efforts opiniâtres, et, partant, la futilité des rapports entre l'homme et le monde, ne permettent pas d'en tirer un constat d'aliénation, comme on serait tenté de le faire. Pas plus qu'il ne se trouve engagé dans un conflit ouvert avec un monde activement hostile — thèse de Bruno Hahn dans son analyse mi-marxiste, mi-existentialiste de l'œuvre de Robbe-Grillet [8] — pas plus qu'il ne conquiert un monde transformable, à la manière du héros romantique, le personnage robbe-grilletien n'est en situation de s'aliéner parce que le monde ne retranche rien à son être. Réciproquement, le sens qu'il attache aux surfaces neutres ne survit pas à son regard. Tout compte fait, en essayant d'apprivoiser le milieu, il risque de ne perdre que ses illusions; et tant que celles-ci subsistent, tant qu'il s'en tient aux significations fictives ou aux expériences imaginaires, il éprouve un sentiment de plénitude plutôt que de privation. Certes, le monde ne lui apporte rien non plus et, s'il pèse sincèrement le poids de ce rapport, il doit ressentir intuitivement qu'il se livre à un jeu gratuit; mais comme il n'y mise rien d'essentiel et que, de toutes manières, la solitude lui colle toujours à la peau, ce n'est pas à ce propos qu'il convient de parler d'aliénation.

Pas plus, d'ailleurs, qu'à l'égard de sa situation dans la société. Certes, la solitude ne s'y atténue guère et les protagonistes de Robbe-Grillet font figure d'étrangers dans leur milieu. Mais est-on en droit de parler, dans la majorité de ces mondes romanesques, d'une véritable société qui puisse donner lieu à l'aliénation? D'un corps vivant, dynamique, générateur de discipline, de valeurs, de solidarité? D'un organisme auquel on peut appartenir, ou dans lequel on peut se perdre et perdre son identité? Ou, au contraire, contre lequel on se révolte, pour revendiquer une authenticité individuelle? Il est permis d'en douter. Si le protagoniste de Robbe-Grillet se sent solitaire dans la société, il convient, au contraire, de l'attribuer d'abord au manque de cohésion de celle-ci, qui ne comporte aucun esprit de corps auquel s'accrocher. Au mieux, on a affaire à un agrégat complexe d'individus étrangers l'un à l'uatre, mais pris dans l'engrenage de mouvements interdépendants. C'est le cas pour les *Gommes,* où les divers personnages tiennent, sans le savoir, les rôles multiples de la tragédie d'Œdipe, chœur compris, et forment ainsi un système artificiel. C'est surtout le cas pour le *Voyeur,* avec son travesti de communauté insulaire, où, identiques en apparence, les maisons, les habitants, semblent des entités autonomes que seule la fatalité groupe par moments en attitudes figées d'un ensemble. Ces deux sociétés s'animent encore par de nombreuses manifestations de leur existence. La ville des *Gommes* vibre par la conscience dévoilée de certains de ses habitants, et les pêcheurs ou les fermiers de l'île ne manquent pas d'un certain relief extérieur. Dans les ouvrages suivants, à l'exception évidente de l'*Immortelle,* la présence tangible de la société se trouve davantage mise en cause. Dans *Marienbad,* il ne s'agit plus que d'ombres de personnages dont la seule occupation consiste en jeux stériles ou en conversations désuètes; les indigènes de la *Jalousie* ne font que passer devant l'œil-caméra du mari jaloux; la ville-cauchemar du *Labyrinthe* subit un curieux dépeuplement qui n'y laisse qu'enfant, femme, boiteux et quelques silhouettes de passage; enfin, le Hong-Kong de Robbe-Grillet se réduit à un petit groupe d'étrangers sans contact avec la ville réelle. Comment s'enraciner dans un sol à ce point privé de consistance?

Il s'en faut de peu qu'on conclue que la dimension sociale fait totalement défaut chez Robbe-Grillet. Son œuvre comporte pourtant des traces de la conscience des différences de classes et certains partis pris à cet égard. Sans vouloir à tout prix trouver de l'engagement chez Robbe-Grillet, il faut reconnaître que les tableaux des quartiers ouvriers et bourgeois dans les *Gommes* ne sont pas tout à fait objectifs, que le petit peuple, dans ce roman, bénéficie d'un traitement plus généreux que les autres groupes, que les préjugés de race de Franck apparaissent ridicules dans la *Jalousie,* que le brigadier chauvin et militariste du *Labyrinthe* n'est guère sympathique, etc. Y a-t-il, pareillement, un soup-

ndamnation sociale dans l'insistance sur le caractère parasi-
ionde oisif de *Marienbad*? Sur la puissance ou sur l'impunité
:ions de terreur dans l'*Immortelle*? Ou sur les rapports entre
domestiques dans la *Maison de rendez-vous*? On n'oserait affir-
n sens ou dans l'autre. En revanche, à considérer l'ensemble
, on voit nettement une atténuation graduelle de ces échos,
nvolontaires, des questions sociales. Signe d'une plus grande
maîtrise de l'écrivain? Effet inconscient d'un déplacement de ses propres
préoccupations? Peu importe. Ce qui compte, c'est que le résultat
de cette évolution se combine à l'émiettement des groupes sociaux
pour circonscrire l'horizon de l'homme à son existence d'individu
privé.

Et là, il retrouve la solitude. En théorie, il y a *les autres*, ceux que le
hasard ou le destin, ou encore une volonté mutuelle, associent intime-
ment à la vie des protagonistes. Mais quelle véritable intimité offre le
monde romanesque de Robbe-Grillet? Quels exemples d'entente, entre
époux, amants, amis? Qu'on juge sur les textes. Trois mariages dans les
Gommes, aucun très important: celui des Juard — fondé sur une complicité criminelle, celui du patron du café — dont la femme est morte, et
celui du professeur Dupont — qui a divorcé après une existence « triste
et solitaire » auprès d'une épouse plus jeune que lui (*G*, p. 173). Premiers
signes peu encourageants. Il y a aussi des amitiés, des associations dans ce
roman: Marchat et Dupont — et l'un trahit l'autre, Wallas et Laurent —
qui se cachent leurs pensées; chacun ne songe qu'à soi. Dans le *Voyeur,*
au moins un autre mariage: Jean Robin qui brutalise sa femme, celle-ci
qui l'accuse du meurtre. Puis vient la *Jalousie* et son triangle, voire son
carré de solitudes: deux mariages qui ne marchent pas, une amitié qui
s'effondre. Voilà pour l'entente maritale. Robbe-Grillet n'y reviendra
plus. Dans les ciné-romans, dans la *Maison de rendez-vous,* il sera uniquement question de liaisons, plus ou moins régulières, mais également déce-
vantes: A et M donnent l'impression d'un couple marié tant leurs rapports ressemblent à ceux des protagonistes de la *Jalousie* — une solitude
à deux; N'ignore tout de L sauf le plaisir qu'elle lui donne et la passion
que son absence inspire; Johnson paie Lauren et ne trouve rien dans ses
yeux. Quant à l'amitié, elle se fait aussi plus rare et, chez Lady Ava,
chez Manneret, ne survit pas à une question d'argent. Tous ces rapports,
et bien d'autres moins formels ou plus éphémères, échouent pour diverses raisons mais, surtout, à cause d'un manque de vrai contact. Les liens
que les personnages de Robbe-Grillet nouent entre eux, peut-être pour
échapper à la solitude, ne serrent finalement que des vies solitaires. On
tisse des rêves séparés, on poursuit des illusions simultanées mais diver-
gentes. Au bout, l'intimité espérée ne laisse en présence que deux étrangers. *Marienbad* s'achevait au moment où X et A, tout tendus l'un vers
l'autre, émerveillés d'un accord difficilement arraché, entreprenaient
l'aventure du couple; on pressent pourtant, qu'à la moindre détente de
leur effort, une distance se glissera entre les deux amants, qu'un relâche-
ment de la volonté rejettera chacun dans sa solitude intérieure.

Ces aboutissements du recours à l'intimité paraissent d'autant plus
pathétiques qu'ils proviennent rarement d'une mauvaise volonté. Les
protagonistes de Robbe-Grillet n'appartiennent guère à la race des grands

indifférents ou des monstres d'égoïsme. Même M, au visage triste et aux gestes mesurés, même la froide A... laissent entrevoir de la sensibilité à l'autrui, une passion rentrée peut-être. Il n'y a que Lauren de la maison de rendez-vous qui témoigne d'un détachement authentique, et encore suit-elle des ordres. Pour autant qu'ils réagissent librement, naturellement, les personnages principaux et secondaires se portent au dehors de leur isolement avec un mouvement spontané d'intérêt pour leurs semblables. Il est vrai que cette attitude ne manque pas d'équivoque. Au niveau des rapports quotidiens, l'ambiguïté s'exprime par la nature confuse de la curiosité à l'endroit de l'autrui et qui, pareille à l'attitude envers l'univers des choses, confond souvent sympathie et méfiance, embrouille des sentiments contradictoires. Cette dualité prend parfois des formes absurdes: un garagiste exige une garantie pour louer un vélo, mais accepte qu'on la dépose sous enveloppe en son absence; plus souvent, elle donne lieu au soulagement quand on abaisse enfin les barrières: Mme Smite, mise en confiance, ne s'arrête plus de parler; de toutes manières, elle ne devient jamais indifférence. Les gens de passage, des *Gommes* à la *Maison de rendez-vous*, employée de poste ou chauffeur de taxi, montrent de la bienveillance ou de l'antipathie pour l'étranger, mais ne l'ignorent pas. Et lorsqu'ils parviennent à l'entendre, le plaisir qu'ils tirent de ce contact humain les encourage à abandonner la réserve, à se rapprocher davantage de l'autrui.

C'est l'incompréhension, en effet, qui crée l'obstacle principal à ce contact, met une distance infranchissable entre les êtres et, sur le plan des relations intimes, mène à l'échec fatal des efforts accomplis pour briser l'isolement. Si l'homme ne peut reconnaître le sens de l'univers, il ne parvient pas davantage à comprendre la vraie nature de ses semblables. Dans ce sens, l'épisode de l'ivrogne à la devinette d'Œdipe pourrait servir d'exergue à l'œuvre entière de Robbe-Grillet: s'il avait été entendu, les rapports humains auraient été dépouillés de leur obscurité trompeuse et les personnages se seraient affrontés en pleine clarté et en connaissance de leur rôle. Mais c'est en vain que l'ivrogne revient à charge, importune. Avec la meilleure volonté du monde, si l'on n'a pas d'abord saisi le sens de ses paroles, on ne réussira plus à le comprendre. De fait, il devient de plus en plus obscur. Or, cet ivrogne plaidant qu'on l'entende, c'est un peu Mathias qui tâtonne pour trouver une version recevable de son heure opaque, le mari jaloux à la recherche de la relation exacte des rapports entre A... et Franck, Johnson revenant avec ténacité à sa chronique de la soirée chez Lady Ava, le soldat du *Labyrinthe* qui, à l'instar de son créateur-narrateur, s'acharne à trouver les mots précis qui lui permettront d'accomplir sa tâche:

> Il continue de parler, s'égarant dans une surabondance de précisions d'une confusion sans cesse croissante, s'en rendant compte tout à fait, s'arrêtant presque à chaque pas pour repartir dans une direction différente, persuadé maintenant, mais trop tard, de s'être fourvoyé dès le début...
> (*DL,* p. 151).

Dans tous ces cas, la difficulté de communiquer se manifeste sur le plan de l'expression verbale. Peut-être parce que cela correspond à ses soucis d'écrivain, Robbe-Grillet insiste beaucoup sur cet aspect de l'incompréhension et en multiplie les exemples. X murmure à A que « personne ne comprenait [ses] paroles » (*ADM*, p. 85), le mari jaloux ne réussit pas à se faire entendre de son boy, les indigènes eux-mêmes ne se parlent pas, Johnson s'embrouille dans des quiproquos avec des Chinois, Garinati désespère de faire comprendre la vérité à Bona, etc. On voit à quoi cela mène: atmosphère d'incertitude, témoignages contradictoires et changeants, doute sur la signification des messages. Cependant, il ne faudrait pas exagérer la portée de ces difficultés linguistiques. Il se peut, comme l'avance Olga Bernal, qu'elles expriment, sous une forme dramatique, la corruption du langage par des significations reçues de la fabulation humaine. On conçoit aussi que le romancier s'en inquiète dans son projet de restituer une valeur neutre au monde des choses. Mais pourquoi cela devrait-il gêner des personnages habitués à utiliser des termes affectifs? En vérité, s'ils ne se comprennent pas, c'est d'abord qu'ils expriment maladroitement leurs sentiments et leurs idées, c'est ensuite que tout langage pose des problèmes; mais, surtout, c'est que leurs sentiments et leurs idées manquent eux-mêmes de clarté.

La cause profonde de l'incompréhension qui isole les protagonistes de Robbe-Grillet dérive, en effet, de la nature essentiellement incompréhensible de l'homme. Irréductible à sa propre raison, il reconnaît, instinctivement ou lucidement, une même intériorité insaisissable chez l'autrui. Sa solitude, sa curiosité le poussent à se prolonger, se retrouver, se réfléchir dans un autre, à aborder un mystère qui fait pendant au sien, à comprendre un être dont l'humanité lui est proche. Mais l'autrui se dérobe et l'irritation devant l'échec de la communication prend parfois des formes violentes. Plus particulièrement, la faillite des relations intimes, sur lesquelles se fondaient de grands espoirs, peut donner lieu à des réactions tragiques. Une certaine lecture des romans de Robbe-Grillet livre toute une gamme de possibilités que donne l'application de cette formule: solitude — curiosité — incompréhension. Sous une forme schématique, on la trouve dans les *Gommes* où le canevas de l'intrigue policière fournit une nécessité artificielle à sa mise en œuvre. Wallas, détective jeté au milieu de témoins suspects et de symboles fuyants, interroge le monde, aspire vers une vérité humaine insaisissable, s'efforce de se rapprocher des autres malgré des échecs consécutifs, tue l'être qui signifie le plus pour lui et, dans le même moment, accède enfin à l'entendement. Dans les autres récits, une compulsion interne se substitue, en tant que ressort de cette mécanique, à un devoir professionnel imposé du dehors. Pour Mathias, l'impulsion vient de l'obsession sexuelle. Il se sait anormal, se méfie de tout contact humain débordant les formules stéréotypées et rassurantes de son métier. Pourtant, dans son être replié sur lui-même, des avenues s'ouvrent impérieusement vers l'autrui, des chemins tortueux mènent, au hasard des fétiches, jusqu'à un crime affreux. Dès lors, loin d'être gratuit, ce crime se révèle l'aboutissement du processus par lequel le refoulement de la curiosité envers l'homme conduit à l'explosion. Un paradoxe similaire commande la situation centrale de la *Jalousie*. Un homme épie sa femme et l'amant supposé, joue au voyeur imaginaire, se livre à un effort de compréhension qui touche au délire. Mais, en même temps, excès d'émotion ou crainte de la vérité, ou encore, plus simplement, limites de l'entendement humain, il se montre incapable d'établir une communication directe avec la femme qu'il soupçonne. Le soldat du *Labyrinthe* accomplit une mission humanitaire — geste d'amour pour son prochain — en s'entêtant à trouver le père d'un camarade mort au front. Pourtant, quand le hasard le place sur le chemin des êtres vers qui, instinctivement, il s'élance et revient, et qui répondent à cet intérêt par une curiosité également chaleureuse, sa volonté tendue se dissipe, le contact ne se fait pas. On reste des étrangers. Si *Marienbad* propose une fin plus heureuse, son commencement part pourtant d'une situation comparable. Car qu'est-ce que la persuasion sinon la manifestation de l'intérêt qu'on porte à l'autrui et qui se heurte à l'incompréhension? A résiste à X, et cette résistance l'aiguillonne à convaincre la jeune femme qu'un rapport existait entre eux. De même, en dernière analyse, ce sont les dérobades de L et de Lauren, l'opacité de leur personnalité insaisissable dans un corps soumis aux caresses, et la crainte, bientôt l'expérience, de les perdre pour des raisons obscures, qui jettent les protagonistes vers ces deux femmes avec la force d'une passion contrariée. Mais fatale. Et vaine — comme toutes les autres, du reste. Car, au terme de ces récits, à l'exception du premier ciné-roman, l'homme se retrouve seul, face à son destin solitaire, dans une chambre d'hôtel, sur le débarcadère, derrière les jalousies, dans la mort ou dans l'attente de la mort.

Si cette conception de la solitude de l'homme n'est pas très originale, sa mise en œuvre, du moins, est extrêmement systématique et effective. Malgré sa bonne volonté toujours aux aguets, et les miettes de chaleur humaine qu'elle lui rapporte des rencontres de passage, le personnage de Robbe-Grillet ne réussit pas plus à se dépasser vers l'autrui que vers le monde. Et comme il ne dispose d'aucun autre horizon, il se trouve invariablement et rigoureusement réduit à son existence individuelle: au moi. Au premier abord, cette réduction ultime ne laisse d'ailleurs subsister que peu d'éléments stables sur quoi fonder une affirmation du soi. Participant aux avatars du personnage dans le roman contemporain, le protagoniste de Robbe-Grillet se dématérialise graduellement, perdant les formes extérieures de son individualité. Dans les *Gommes*, il était encore jeune (ou âgé), maigre (ou gras), grand (ou petit); il avait un visage tranquille aux traits réguliers (ou une tête de petite araignée); il jouissait d'un nom, d'une situation sociale; un passé se laissait entrevoir; des tics le distinguaient des autres — bref, on savait à qui on avait affaire. Puis, la gangrène: le nom, atteint le premier, tombe: Mathias n'a plus qu'un prénom, et on n'apprend jamais si Jean Robin du *Voyeur* ne s'appelait pas Pierre. Ensuite le passé s'évanouit et, chez le personnage principal de la *Jalousie*, toute apparence physique. Mais enfin les autres conservent une initiale, un prénom, et une certaine physionomie. Avec le *Labyrinthe*, l'incertitude s'accuse: s'agit-il d'une reprise, avec le narrateur, du type de personnage complètement néantisé? Ou est-ce un médecin, anonyme bien sûr, mais du moins pourvu d'un physique, d'un métier? Au reste, tous les personnages entrent dans l'anonymat, et leur apparence, du moins quant aux couleurs, se met à bouger. Les ciné-romans, qui par définition postulent une représentation visuelle, reviennent aussi au stade de l'initiale. *Marienbad*, pourtant, supprime la raison sociale et introduit la notion des renseignements imaginaires, limités encore au passé. Enfin, dans le dernier roman, tout passe à l'invention: en apparence, Robbe-Grillet y reconstitue une personnalité complexe, mais, pratiquement, les noms, les professions, la physionomie, le passé, le présent et le futur, les actes et les identités mêmes deviennent fictifs, interchangeables. Arrivé à ce point, on commence aussi à se douter que, dans des romans différents, les mêmes personnages apparaissent dans des situations diverses, que certains individus tiennent du stéréotype: le type du patron de café; le type de la femme sensuelle et froide à la fois, provoquante et superbe, soumise et lointaine: A..., A, L, Lauren, dont les initiales mêmes se répondent; le type de l'inconnu qui laisse échapper des remarques significatives. En même temps, en revanche, on se rend compte que cette liquidation des aspects par lesquels l'homme se manifeste à l'extérieur, et même cette réduction à des types, n'entame pas l'affirmation du caractère unique de chaque individu conçu dans son intériorité et que, dans le monde imaginaire qui s'y déploie, une fiction inconsistante vaut une réalité stable.

En effet, ce qui sauve l'homme de l'assimilation à l'initiale kafkaïenne et l'arrache à l'anonymat, c'est surtout sa vie intérieure. Elle ne récèle pas, à vrai dire, de grandes richesses psychologiques, de sentiments compliqués, de débats angoissants ou de contradictions révélatrices de la nature humaine. Au contraire, dans un mouvement parallèle à l'escamotage de la présence objective de ses personnages, Robbe-Grillet rétrécit leur vie intérieure jusqu'à ce qu'elle ne laisse plus passer qu'une idée fixe, centre d'intérêt de leurs rêveries et, partant, du roman. Les préoccupations de Wallas se partageaient encore entre son enquête, les surprises de la ville, les réflexions sur son passé, et la gomme. Au début, Mathias s'intéresse également à son activité professionnelle et multiplie des ventes imaginaires et miraculeuses. Mais, sourde d'abord, son obsession l'emporte, vers le milieu du roman, sur les autres formes d'invention et influence dès lors toutes ses pensées. Avec la *Jalousie*, la réduction à l'idée fixe est presque complète: le mari anonyme ne vit guère que par et pour ses soupçons, enregistrant avec indifférence les progrès de la culture des bananiers. Dans les trois œuvres qui suivent, le monde extérieur et tout ce qui ne touche pas directement la passion du protagoniste — narrateur ou soldat, X et N — disparaît complètement de la conscience active, sinon du champ de vision. *La Maison de rendez-vous* représente, à cet égard, un certain recul apparent, dû à la complexité exceptionnelle de la mise en œuvre de l'idée fixe du romancier considéré en tant que personnage central. Son obsession, transmise par ses porte-parole successifs ou simultanés, c'est recréer, sous une forme romanesque, le mouvement de l'imagination érotique; mais le monde imaginaire que ce dessein postule se diversifie, dans la conscience des protagonistes, sous l'effet d'une expansion inévitable des rêves multiples dont chacun cherche à insérer son propos essentiel dans un décor circonstancié. Exotisme, aventures, assassinats s'agglomèrent ainsi autour de l'idée principale, de même que des considérations sur l'œuvre de l'écrivain, et bénéficient de l'impulsion originelle. Au reste, qu'il y ait une seule obsession ou des obsessions fragmentées, la situation ne change guère. Dans l'absence des éléments étrangers, l'idée fixe s'étale dans la conscience, y prend une ampleur monstrueuse, finit par s'identifier à la vie intérieure. En cherchant, tout au fond de l'homme, l'irréductible noyau de signification qui distingue un individu de l'autre et anime sa liberté, on bute toujours sur une passion.

C'est au plus profond de soi, aux sources vives de sa personnalité, que l'homme de Robbe-Grillet éprouve, en effet, le sens de son existence: dans une région obscure où les passions bouillonnent et explosent, sans raison, sans restriction, aveuglément et librement. Au reste, d'où leur seraient venues des lois? Au nom de quelle transcendance se jugerait, en bien ou en mal, cette activité primordiale et directe, la seule qui se nourrisse d'elle-même, qui ne déçoive pas, qui ne leurre pas? Et quelle autre faculté, s'établissant au dessus de cette combustion intérieure, pourrait espérer, essayer de contrôler ce qui s'y passe? La raison? Mais le romancier postule un homme irrationnel. Un sentiment moral inné, soutenu par la volonté? S'il existait, il fondrait au contact embrasé d'une substance d'une nature analogue. On a beaucoup discuté de l'immoralité ou de l'amoralité des personnages de Robbe-Grillet, de la vraisemblance de leur comportement, des leçons éthiques à en tirer. Il s'agit là de faux problèmes. À la rigueur, on pourrait parler d'un mélange d'irresponsabilité et d'innocence: personne n'est coupable parce que chacun se contente d'être, naïvement et sincèrement, ce qu'il est dans son for intérieur, sans s'interroger sur la vertu des passions qu'il y trouve.

Cette conception de l'homme comporte pourtant une exigence implicite. Si l'on veut: un certain jugement de valeur. Puisqu'il n'est d'autre mesure de l'homme que lui-même, il sied qu'il soit fidèle à son humanité. Ses tentatives futiles d'apprivoiser le monde, ou d'y jeter un désordre à son image, ses projections des significations humaines sur ce qui n'en a pas dans l'espoir, toujours déçu, de prévaloir contre l'indifférence du destin, ses élans brisés vers l'autrui, bref toute l'activité pathétique par laquelle sa liberté s'insurge contre la fatalité et s'obstine à inventer des recours en grâce contre la solitude, cela fait partie de la condition de l'homme et de l'ambiguïté de ses réactions, humbles et ambitieuses à la fois, cela est donc naturel et acceptable. En fait, tout est admissible pour autant que s'y manifeste une affirmation de la qualité humaine. Même les leurres et les illusions; peut-être, surtout les illusions. Ce qui ne l'est pas ~admissible~, c'est le renoncement à l'humain, l'étouffement en soi de la conscience de sa liberté.

Cette option arbitraire, Robbe-Grillet se garde bien de l'exposer en clair. A plus forte raison, on n'en trouvera pas de justification rationnelle dans son œuvre. Peut-être même n'est-il pas conscient de la professer. Elle constitue néanmoins une des constantes importantes de sa vision du monde, le critère au moyen duquel l'humanité s'y trouve répartie en deux espèces humaines d'un poids inégal pour le romancier: les hommes automates et les hommes libres, les personnages indistincts et les individus passionnés.

De la première catégorie, les *Gommes* offrent l'archétype avec l'image du patron de café surpris dans un automatisme de robot au début et à la fin du récit; puis, le tableau figé de l'orchestre opératique généralise cette attitude. Mais les autres ouvrages ne manquent pas non plus de personnages automates, cantonnés dans des rôles secondaires, ou même de manifestations de démission humaine chez des protagonistes, pas encore réveillés à leur liberté (telle A) ou fatigués de la porter (tel Wallas). Chaque fois, on remarque une semblable indifférence à l'égard du monde et des êtres, une uniformité des réactions de groupe, une activité mentale tournée vers les clichés, vers la routine, vers une perception passive des sensations et des images, au mieux vers des idées réductibles à des opérations mathématiques ou fonctionnelles — tous traits qui correspondent, sur le plan humain, aux caractéristiques fondamentales du monde des choses, Pour s'en faire une idée, il suffira de quelques exemples seulement, tant ces attitudes se ressemblent et se répètent. Voici donc des passagers groupés sur le pont du vapeur et hypnotisés par un groupe qui attend sur le quai: « De part et d'autre l'expression était la même: tendue, presque anxieuse, bizarrement uniforme et pétrifiée » (*V*, p. 11); ailleurs, on observe un groupe de spectateurs dans une salle de théâtre: « Tous les corps sont parfaitement immobiles, les traits du visage absolument figés, les yeux fixes » (*ADM*, p. 28); on peut aussi y comparer un groupe de bourgeois dans un café: « On ne lit ici sur aucune figure, dans aucun mouvement, l'hésitation, la perplexité, le débat intérieur ou le repliement sur soi » (*DL*, p. 28). On avait trouvé déjà une image identique dans le petit tableau des *Gommes*. Elle comportait les mêmes mots pour indiquer l'immobilité et qui, tel ce *figé* envahissant, conviennent singulièrement à décrire des surfaces. Dans un autre genre, on peut rapprocher le relèvement topographique des rangées de bananiers dans la *Jalousie*, le calcul des minutes et des prix de vente dans le *Voyeur*, le dénombrement des objets et des distances dans la chambre du narrateus du *Labyrinthe*, la manipulation des allumettes et des dominos dans *Marienbad*. Enfin, au boy qui marche, « sans dire un mot, dans le même sens, du même pas d'automate... (...)... remuant bras et jambes en cadence, comme une mécanique au réglage grossier » (*J*, pp. 110, 112), correspond une description de Wallas renonçant un moment à sa liberté, à la faveur d'une activité routinière:

> Wallas aime marcher... Il regarde, il écoute, il sent; ce contact en renouvellement perpétuel lui procure une douce impression de continuité: il marche et il enroule au fur et à mesure la ligne ininterrompue de son propre passage, non pas par une succession d'images déraisonnables et sans rapport entre elles, mais un ruban uni où chaque élément se place aussitôt dans la trame, même les plus fortuits, même ceux qui peuvent d'abord paraître absurdes, ou menaçants, ou anachroniques, ou trompeurs... C'est volontairement qu'il marche vers un avenir inévitable et parfait. Autrefois il lui est arrivé trop souvent de se laisser prendre aux cercles du doute et de l'impuissance, maintenant il marche; il a retrouvé là sa durée (*G*, p. 42).

Ce passage est particulièrement significatif parce qu'il esquisse, dans une tradition existentialiste, une théorie des raisons qu'un homme pourrait avoir de se constituer en chose. On note et reconnaît successivement l'angoisse en face de la liberté, le désir d'échapper à l'ambiguïté humaine, l'aspiration vers l'ordre rationnel du monde, l'acceptation de la fatalité. Ces indications, elles non plus, on ne les retrouvera nulle part répétées avec autant de clarté. L'introduction à *Marienbad* comporte, pourtant, une interprétation similaire des réactions négatives de A aux paroles de X qui lui propose la liberté: « Puis elle prend peur. Elle se raidit. Elle ne veut pas quitter ce monde faux mais rassurant » (*AD, M* p. 14). Cela pourrait s'appliquer également à L de l'*Immortelle,* aux pensionnaires et aux servantes de la Villa Bleue qui se font objets (érotiques) et échappent ainsi à l'incertitude de leur destin. En tout cas, le passage éclaire une source possible de l'automatisme chez des personnages qui n'y sont pas normalement familiers, c'est-à-dire chez les protagonistes authentiques des romans de Robbe-Grillet. S'ils se livrent à une quantité de petites occupations qui les associent au monde des choses mais pour lesquelles ils n'éprouvent qu'un intérêt médiocre, s'ils marchent, observent, parlent, mènent des enquêtes, vendent des montres, surveillent leur plantation, jouent, font de la contrebande, c'est parce qu'ils cherchent instinctivement dans cette aliénation — mais une aliénation en tout état de cause secondaire — un soulagement à l'engagement de tout leur être dans des projets qui leur tiennent vraiment à cœur.

Et qui, tout compte fait, sont les seuls à intéresser le romancier. Si l'on renversait l'ordre causal de l'hypothèse existentialiste, de sorte à postuler une aliénation fondamentale dans l'automatisme à laquelle l'homme cherche un recours, ou un répit, sous forme de passion (et non vice-versa), l'ordre de la priorité romanesque des deux manières d'être resterait le même. Pour l'aliénation définitive des hommes automates, Robbe-Grillet ne montre, en effet, que mépris ou indifférence. Ils font partie du décor, ils servent de repoussoir à ses héros, mais il n'y a que les *Instantanés,* visions d'un monde figé et non images d'une réalité romanesque, à leur accorder une attention suivie. Et encore, certains de ces brefs récits les saisissent au moment où, comme l'acteur du tableau des *Gommes,* ils s'insurgent contre leur état. Quant à l'aliénation partielle des hommes libres, elle ne retient l'auteur que dans la mesure où elle dépasse ce stade et, sous l'impulsion de la passion, se transforme en projets authentiques. Ainsi, pendant quelques minutes, la vente des montres se change chez Mathias en obsession véritable. En somme, on se demande si le terme d'aliénation convient pour caractériser cet automatisme secondaire, puisque seul l'accessoire, ce dont on se passe, fait les frais de ces activités. L'essentiel — son humanité — l'homme ne l'aliène ni dans le monde, ni dans la société, ni même dans les actes mécaniques. Il est trop occupé par sa passion.

Rien d'étonnant, dans ces conditions, que la plupart des protagonistes de Robbe-Grillet soient des obsédés. Leur idée fixe balaye toutes les considérations pratiques ou rationnelles, s'installe au centre de la vie et, de là, domine les projets, les gestes involontaires, l'activité mentale, le tonus affectif. Pratiquement, elle prend des formes diverses dont l'objet concret peut paraître, à distance, risible ou tragique, généreux ou égoïste. Relativement inoffensive chez Wallas, obsédé par une gomme, elle inspire la violence sexuelle, une jalousie pathologique, une mission délirante, deux versions d'amour passionnel, l'invention d'images érotiques perverses. En marge, chez le narrateur du *Labyrinthe,* chez X, voire chez Mathias et chez le protagoniste protéen de la *Maison de rendez-vous,* on devine une obsession de la création d'univers imaginaires. Si l'on ne s'en tient qu'aux personnages principaux, bien qu'on trouve chez les autres de nombreux obsédés, la diversité de leurs idées fixes tend ainsi à se polariser en deux directions majeures : érotisme et création.

Il y a tout lieu de croire que la priorité donnée à ces deux domaines n'est pas accidentelle La lecture proposée de la *Maison de rendez-vous* montre que l'érotisme et la création littéraire constituent les deux perspectives majeures dans lesquelles on peut entrevoir, en une série de réflexions, la totalité des œuvres de Robbe-Grillet. De plus, ce double choix, s'il n'épuise pas toutes les sources d'obsession qu'on trouve dans ces œuvres, offre une analogie frappante avec les deux versants majeurs de la nature humaine telle que la conçoit ou la dépeint le romancier. L'érotisme, par ce qu'il entend d'affectif, d'irrationnel, de désordonné, d'incontrôlable, de violent, de pervers, d'équivoque, d'instinctif, mais surtout par son visage grimaçant tourné vers l'autrui, ne renvoie-t-il pas à l'homme tendu dans un effort pour dépasser sa solitude en violentant, au besoin, l'indifférence qui l'entoure? Et, Freud nonobstant, ne demeure-t-il pas la forme la plus ténébreuse du secret que l'homme porte en lui, caché au plus profond de son être, aux sources mystérieuses de ses élans? Parallèlement, la création artistique, ou simplement l'invention des significations imaginaires suivies, n'expriment-elles pas le besoin d'une génération continue d'images et de formes fantaisistes et, partant, l'affirmation d'une individualité originale, dynamique, rebelle à l'état des choses et aux schémas uniformes? Et aussi ne s'agit-il point, dans cette activité, d'un raffinement de la révolte contre l'emprise du monde neutre, visant non plus à modifier ses structures idéales, ni à en dénaturer le sens fatal, mais à y superposer, sur le plan mental, gratuitement, un monde humain où l'homme puisse se retrouver? Il est significatif, à cet égard, que ces deux sortes d'obsession, l'une engagée dans un corps à corps fiévreux avec la réalité objective, l'autre se déployant librement et plus calmement dans l'imagination, subissent un sort différent dans la mesure où elles se limitent à leurs domaines respectifs. L'érotisme échoue dans ses tentatives de conquérir d'autres intériorités, à moins qu'il ne coïncide avec une fatalité extérieure à lui; en revanche, et bien que ses ponts jetés vers les repères du monde s'effondrent à l'épreuve de l'expérience, la création réussit à donner le jour à des univers fictifs où la fatalité réfléchie du monde se mélange à une invention fantastique.

Assurément, c'est un aperçu très schématique qu'on esquisse ainsi. Les deux ressorts de l'obsession, les deux manifestations de la liberté, n'existent guère séparément, se conjuguent sur le plan de l'imagination, se combinent en une prolifération d'images qui, peu à peu, se substituent à la réalité pour assurer la substance des romans. Les objets s'y déforment, les passions s'assouvissent, la logique se plie aux caprices des désirs et de l'invention, le temps s'anéantit, la causalité disparaît, tout devient possible. On pénètre dans le pays mental où l'homme peut donner libre cours à son inspiration, sans chercher à la contrôler ni a la comprendre L'imagination s'avère ainsi comme le mode d'être idéal de l'humain. C'est par l'imagination et dans l'imagination que l'homme se réalise dans son authenticité. Tout le reste — forme concrète des rêves, degré d'ambition des projets, caractère plus ou moins fantastique ou réaliste des mondes imaginaires — dépend de l'individu.

Et voilà qu'on se trouve de nouveau ramené à l'homme. Mais on distingue mieux sa situation ambiguë, presque pascalienne. Placé au centre des préoccupations de Robbe-Grillet, il n'est pas pour autant placé au centre du monde. Fasciné par l'univers des choses qui le domine, il ne parvient pas à s'accrocher à ses surfaces géométriques. Entouré par des semblables qu'il devine pareils à lui, il ne réussit pas à les comprendre. Défini par son altérité et sa solitude, il lui reste l'option de revendiquer sa qualité humaine par une affirmation libre de la passion. Mais il ne peut atteindre cette liberté que dans son imagination. Au reste, sur ce plan privilégié, sa propre petitesse limite l'envergure de ses obsessions les plus violentes: son regard et ses désirs n'ont qu'une petite portée, ses projets se circonscrivent à son entourage immédiat, ses entreprises n'ont d'intérêt que pour lui. Il ne peut se dépasser parce qu'il n'y a pas vers quoi se dépasser, mais surtout parce qu'il n'est pas capable du dépassement. Figé dans une aliénation par l'automatisme, ou libre de s'inventer une existence illusoire, le choix s'estompe à distance: il demeure prisonnier de sa propre médiocrité Au total, un tableau mélancolique. Mais, dans cette vision pessimiste, tout n'est pas négatif. Deux sources de luminosité ravivent l'image de la condition humaine. D'abord, une bonne volonté touchante et indestructible qui porte l'homme à tenter, envers et contre tout, d'entrer en contact avec les êtres et les choses. Ensuite, la liberté miraculeuse de la vie intérieure qui s'exprime dans des passions et des créations gratuites et chimériques, mais d'une signification inestimable pour l'individu — et pour le romancier qui témoigne pour lui. Parce qu'il a su reconnaître le poids de cette double manifestation de l'humanité, et qu'il en a fait le sujet de ses romans, Robbe-Grillet proclame, sans peut-être s'en douter, un humanisme à l'échelle du temps.

CONCLUSION

Dans sa forme, dans sa technique et dans l'agencement de ses intrigues, il apparaît que l'œuvre de Robbe-Grillet évoque un système idéal et rationnel qui détermine l'ordre des choses et au sein duquel l'aventure humaine fait figure de scandale éphémère. Vu de l'extérieur, engagé dans une existence routinière qui le rend souvent pareil aux objets dont il s'entoure, l'homme obéit généralement à ce schéma et, par sa conduite automatique, contribue à en perpétuer les grandes lignes. Il lui arrive de revendiquer son autonomie. En un sursaut de liberté, il tente alors d'imposer au monde sa passion, la vision mentale par laquelle il se montre le plus authentiquement humain, un anéantissement imaginaire de l'ordre contre lequel il s'insurge. Mais cette explosion ne dure guère: énigmatique et ambiguë par ses origines, elle brouille un instant les contours nets de la nécessité, crée des formes monstrueuses ou pathétiques, puis, sans rien dévoiler de son mystère, se perd dans le mouvement puissant de la fatalité. Au reste, rien de tragique dans ce sursaut dérisoire de l'humain, point d'empoignade violente entre l'homme et le destin — si ce terme convient au déroulement indifférent du temps neutre. Le rapport entre les deux modes d'existence reflète la contingence et l'altérité des manifestes de l'auteur: il n'y a ni réflexion de l'humain dans l'inhumain, ni aliénation dramatique, ni même absurdité, parce qu'il ne s'effectue aucun échange de significations ou d'émotions.

Pour reprendre une image de Robbe-Grillet, son monde ressemble à un orchestre immense et bien synchronisé, où des musiciens, pour des raisons obscures, se lancent de temps à autre dans quelque improvisation dissonante; on les entend à peine dans la symphonie d'ensemble et leur variation finit par se fondre dans l'harmonie générale; mais ils ont manifesté leur individualité, affirmé leur indépendance à l'égard de la partition, donné un gage de leur liberté. L'orchestre continue à jouer et à créer un univers sonore systématique où l'invention humaine n'a pas de place. Ses thèmes obéissent à des lois objectives, ses mesures s'inscrivent dans un temps neutre, tout y est nécessaire et indifférent à l'émotion d'un exécutant qui soudain s'éveille à sa qualité d'artiste. Et, certes, il faut tenir compte de cette orchestration mécanique, montrer son caractère inévitable et irréductible aux interventions humaines Mais, si l'on a un souci réel de l'homme, on fera violence à l'ordre d'importance de ces deux phénomènes, et, se penchant vers le musicien révolté, amplifiera hors toute proportion la passion qui anime ses notes sourdes à la règle. Le cri humain qui, un moment, dominera la régularité de l'orchestre, ne peut pas être compris en fonction de celle-ci. L'exécutant, obsédé par un rêve intérieur, ne saisit plus que des bribes de la mélodie, ne comprend plus que des fragments de la musique; livré à lui-même, il forme, avec ces quelques repères sonores, une œuvre fantasque dont les notes se rencontrent quelquefois avec les accords de l'orchestre mais qui leur est essentiellement étrangère. Lorsqu'elle s'éteint, lorsque l'ensemble récupère cette impulsion éphémère, il n'en reste guère de trace, sinon l'enregistrement amplifié par une prise directe à l'intériorité du musicien durant le bref moment de sa passion, et le souvenir de l'appel qu'il lançait, du fond de sa solitude, aux autres présences humaines qu'il sentait obscurément autour de lui. Il faut encore bien faire comprendre que tout est rentré dans l'ordre, donc rendre toute sa puissance au mouvement ordonné de la symphonie.

Si cette image correspond à la vision de Robbe-Grillet, elle permet de saisir le sens des perspectives subjectives qui dominent dans ses romans. Le romancier lui-même, et de nombreux critiques avant et après lui, ont cherché à justifier l'abandon du point de vue objectif, au profit d'une conscience interposée, par le respect d'un réalisme de création très à la mode depuis un certain article de Sartre sur Mauriac: on ne veut pas se prendre pour « le bon Dieu » et l'on ne livre des personnages que ce qu'*un* homme pourrait en savoir. Le choix de cette attitude implique pourtant une certaine image du monde. La vision de Robbe-Grillet aurait pu s'accomoder d'une perspective objective. Toutefois, l'univers qu'elle aurait reflété, ou créé, restituant objectivement le caractère futile des révoltes humaines contre la fatalité, n'accorderait qu'une place dérisoire à l'homme; en vérité, on aurait eu à faire à cette prévalence du monde « chosifié » ou « objectal » que certains critiques s'étaient trop empressés à dénoncer ou à louer dans les romans de l'auteur. En revanche, tout en conservant la dualité de l'univers au moyen du contraste entre la perception des éléments neutres et l'expérience directe des éléments affectifs, la perspective subjective met en évidence l'importance de l'activité humaine, non pour un observateur indifférent, mais pour chaque individu d'abord et pour l'homme en général. La vision intérieure, la passion, la fantaisie et le fantasque, l'enchevêtrement ambigu et désordonné d'impulsions, de projets, d'images violentes, érotiques, obsessionnelles, la création des significations imaginaires, bref tout ce qui compose l'apport de l'homme au monde et en illumine un instant le décor, tout ce qui fonde l'homme dans son altérité et dans sa liberté, tout ce qui est l'homme et non pas l'objet, s'agrandit, s'épanouit, se magnifie grâce à l'artifice du romancier qui apprécie tout le prix que l'homme a pour l'homme.

La priorité donnée à la perspective subjective témoigne aussi d'une victoire sur la tentation capitale à laquelle l'homme fait face dans l'univers de Robbe-Grillet: la tentation de la transcendance par l'acceptation de la fatalité.

En effet, à la conscience humaine, qui reconnaît lucidement ou instinctivement sa contingence, désespère d'y fonder une raison d'être dont elle ne peut pourtant se passer, et, en conséquence, se tourne vers ce qui n'est pas elle pour y trouver une source de dépassement, la vision de Robbe-Grillet, réduite strictement à l'homme et à l'univers, n'offre qu'une seule possibilité: l'ordre stable et sûr dans lequel se disposent les choses et qui imprime une nécessité mécanique au destin des hommes. Il importe peu qu'on appelle aliénation ou automatisme le résultat de la soumission à cet ordre, qu'on parle d'une perversion *chosiste* de l'humain, ou qu'on dise plus simplement que l'homme succombe à la tentation de se rendre semblable aux choses. L'important, c'est que cette forme de transcendance est inclue dans le système de Robbe-Grillet en tant qu'une option toujours présente et que, dans le monde romanesque de ses œuvres, nombre personnages se laissent tenter par elle. Mais parviennent-ils vraiment à se dépasser? Ou troquent-ils seulement leur qualité humaine contre un abrutissement vide de sens? La question qui se pose et qui occupe une place centrale dans la vision de Robbe-Grillet, parce qu'elle va au fond des rapports entre l'homme et l'univers, c'est de savoir si, malgré l'altérité de ces deux principes, ou peut-être à cause d'elle, le romancier avalise le choix de ses personnages-automates, admet que l'homme puisse trouver une valeur supérieure dans l'ensemble plus grand qui l'entoure, crée un univers imaginaire où l'élément humain se dépasse authentiquement dans le monde fatal des choses. Ou, au contraire, s'il conçoit cette transcendance à la manière de tel écrivain athée penché sur des signes de la foi: comme une occasion de démontrer qu'il ne s'agit que d'une illusion, d'une invention décevante du divin à partir de la faiblesse humaine.

Or, le choix du point de vue subjectif, et tout ce qui en découle, fournissent, sur le plan technique, une indication précieuse du refus de la transcendance par les choses. Un certain nombre d'autres procédés, imbriqués dans le contenu anecdotique ou appliqués dessus, semblent, en effet, suggérer la démarche contraire. Le recours à la légende, au tableau en abyme, à d'autres modèles structurels préexistant à l'œuvre, les constructions circulaires ou symétriques, le donné auquel l'invention doit se tenir, la mise en évidence de l'uniformité d'espèce et des images reflétées, imitent le mouvement d'une mécanique universelle, nient l'accident humain. La description du décor, et souvent celle des personnages, trahissent également le souci d'aborder le monde romanesque selon les méthodes d'une discipline scientifique. Enfin, la présence des objets qui prolifèrent dans la conscience donne l'impression que celle-ci se réduit à des phénomènes matériels. Intervient la perspective subjective et, du coup, tous ces emprunts à l'économie du monde objectif se trouvent remis en cause par l'intériorité qui s'en sert. En dernière analyse, ce ne sont qu'inventions du personnage entreposé; et l'aspect inhumain du monde qu'il enregistre passe, modifié, par ses émotions humaines. La substance de l'œuvre, logée dans la conscience de l'homme, s'anime par la passion qui y brûle et qui engrosse l'univers des seules significations auxquelles l'auteur s'intéresse.

Ce refus du dépassement par les choses ressort sans équivoque du sens profond de l'œuvre de Robbe-Grillet. Une transcendance devrait impliquer une hiérarchie de valeurs dans laquelle le dépassé s'élève à un ordre plus haut par l'acte du dépassement et où l'accomplissement du destin s'accompagne d'une transfiguration impatiemment attendue. « Tel qu'en lui-même enfin l'éternité le change... » Or, point de telle élévation dans les romans de Robbe-Grillet au moment où l'agitation de l'homme rejoint, en expirant, le schéma du monde. Au contraire, quand tout rentre dans le jeu, on ne retrouve qu'un système impersonnel où l'homme perd à la fois humanité et liberté, sans y avoir gagné ni salut ni signification ni identité. Sans doute, dépasse-t-il ainsi sa condition humaine, mais la transcendance morne qu'il atteint ne vaut pas la plus éphémère invention de son existence authentique. Or, peut-il y avoir une transcendance qui appauvrisse la substance au lieu de l'enrichir?

Et peut-on concevoir une transcendance sans objet alors que le stade surmonté proposait des fins, quelque obscures qu'elles fussent? Que ce soit dans la Nature, dans l'Histoire, dans l'Humanité ou dans l'Humanisme, dans les Idées ou dans les Noumènes, sinon dans Dieu qu'on ait proposé à l'homme de se dépasser, ou même dans l'Art, dans la Beauté, voire dans l'Aventure, il s'agissait chaque fois de donner un sens à ce qui n'en avait pas, un but à ce qui en était dépourvu et qui en éprouvait le manque. Chez Robbe-Grillet, le rapport est renversé. Sa fatalité apparaît bien comme nécessaire, mais à vide: nulle finalité chez lui, aucune téléologie, pas la moindre justification à l'ordre dont on perçoit l'arrangement mais auquel on ne peut guère donner de signification rapportée à la nature humaine. Le schéma de l'univers, tel qu'il domine l'œuvre de Robbe-Grillet, ne correspond à aucun idéal. Il représente l'agencement contingent des morceaux d'un puzzle: réduits à des sens fonctionnels ou géométriques, ils s'emboîtent d'une certaine manière nécessaire, dessinant des lignes de force symétriques qui déterminent le placement d'autres morceaux. En revanche, l'élément humain, tout soumis qu'il soit à cet arrangement, vibre dans ses sursauts de liberté par des engagements divers qui, en plus de la passion qui les suscite et de l'ambiguïté qui interdit l'accès à leur vérité profonde, ont en commun le caractère significatif de leurs projets. Malgré toute leur incohérence, les personnages de Robbe-Grillet n'en poursuivent pas moins des objectifs qui sécrètent un sens humain. Que cette signification soit valable seulement pour l'individu n'a guère d'importance. Illusoire et équivoque, elle assure une justification et une finalité que la transcendance par les choses ne peut offrir.

La tentation du dépassement écartée, le monde de Robbe-Grillet se dispose définitivement en une vision manichéenne de deux réalités parallèles, coexistantes, mais sans mesure commune: un réel concret, rendu au moyen d'une optique propre à en dégager le caractère neutre, et un réel imaginaire, transcrit de manière à en restituer le caractère humain et fantasque. L'homme, doublement engagé, ne peut se soustraire aux lois de la nécessité. Mais rien non plus n'a le pouvoir d'arrêter son invention. En ce sens, il reste le maître et l'ouvrier de son destin authentique, car peu importe que la fatalité le soumette dans le monde qui n'est pas le sien et que sa liberté s'exerce surtout dans le domaine mental, du moment qu'elle lui permet de s'y réaliser en tant qu'homme, en tant qu'individu, et en tant que principe d'indétermination.

* * *

Cette vision exprime la manière dont une certaine sensibilité réagit à la présence humaine dans le monde. En tant qu'expérience individuelle de l'auteur, sa vérité est inattaquable et indiscutable. Nous pouvons toutefois tenter, sous forme de brève hypothèse, d'esquisser les raisons historiques qui ont donné lieu à cette réaction particulière et qui, constituant un certain esprit du temps, expliquent que d'autres consciences adhèrent à cette vision en y trouvant le reflet de leurs propres réactions.

Robbe-Grillet, en voulant expliquer son œuvre, en a proposé une interprétation de cette sorte. En résumant les idées éparses dans ses écrits théoriques, amplifiant certaines et résolvant l'équivoque d'autres, on arrive à une thèse cohérente selon laquelle ses romans correspondent au nouveau rapport qui s'est établi entre l'homme et le monde au 20e siècle. Auparavant, l'homme traitait le monde en conquérant et ramenait tout à lui, faisant preuve d'un anthropomorphisme confiant et d'un individualisme orgueilleux. De nos jours, ce lien s'est rompu. L'univers a regagné son mystère et le temps des conquêtes individuelles est passé. La société bourgeoise a perdu sa confiance en soi, s'est désagrégée en un pullulement du numéro matricule impliquant l'anonymat. Il faut écrire en tenant compte de cette nouvelle situation.

C'est une théorie valable et nous en reprendrons certains éléments. Mais elle ne rend compte que d'un nombre réduit des caractères originaux de l'œuvre: la dématérialisation du personnage, la neutralité des objets, la distance entre l'homme et le monde. Pour l'essentiel, tant du point de vue de l'écriture que de celui de la vision manichéenne, on n'est pas beaucoup plus avancé. On éprouve d'ailleurs le même sentiment de curiosité insatisfaite au terme de presque toutes les études consacrées à Robbe-Grillet. Bruce Morrissette s'est limité à l'explication psychologique de l'œuvre et à l'étude de sa technique. Olga Bernal est allée plus loin puisqu'elle a cherché à placer le romancier dans le courant phénoménologique; mais on ne sait toujours pas ce qui y a séduit ou attiré Roble-Guillet, quelle réaction fondamentale l'a poussé à donner ce cadre philosophique à ses sentiments. Les autres théories, de nature littéraire, éclairent les origines ou les formes de l'inspiration, mais n'indiquent pas pourquoi Robbe-Grillet s'est tourné vers telles sources ou a adopté telles formes.

Lucien Goldamnn est probablement le seul critique qui ait essayé de donner une explication plus fondamentale de l'œuvre de Robbe-Grillet. Plusieurs de ses conclusions correspondent d'ailleurs aux traits que nous avons dégagés ici en partant d'une méthode différente: par exemple, la constatation de la futilité des projets humains. Sa thèse principale, toutefois, semble très discutable, surtout dans sa tentative de lier entre elles l'économie et la littérature. Reprenant l'analyse marxiste, il déduit une *réification* croissante de la société (tant les rapports humains que les choses) de l'évolution de l'économie capitaliste; dans le monde romanesque de Robbe-Grillet, il reconnaît un univers complètement *réifié* des objets — un « univers autonome ayant sa propre structuration qui seule permet encore quelquefois, et difficilement, à l'humain de s'exprimer ». » Ce monde physique correspond à l'image qu'en donne Robbe-Grillet. D'autre part, l'étude des textes montre que l'humain est loin d'y avoir perdu toute signification. Enfin, tout le système repose sur une confusion assez évidente entre le domaine économique et le domaine technique.

Nous n'entendons pas nous livrer ici à une discussion du principe de *réification*, ni même à la critique, pourtant légitime, de l'importance excessive que M. Goldmann accorde à cette notion dans la vie psychique des individus. Il suffira de retenir que l'homme moderne se trouve pris dans un monde d'objets démunis de valeurs humaines. On ne voit pas en quoi cette situation représenterait spécifiquement une conséquence du système capitaliste. Au contraire, nous avons des raisons de croire, sur la foi de témoignages, qu'elle se retrouve identique dans les sociétés à économie planifiée. M. Goldmann semble oublier que régimes socialiste et capitaliste se donnent la main par-dessus les différences politiques, sociales et, certes, économiques, pour bâtir autour de l'homme le même univers d'objets industriels et de structures bureaucratiques dont le fonctionnement se sépare des valeurs humaines. Il n'est qu'à regarder autour de soi pour se rendre compte que la société, arrivée à un certain niveau de civilisation technique, se deshumanise inévitablement: l'ordinateur et la carte perforée, la fiche d'identité, les services mécaniques, les appareils à autoréglage et à contrôle automatique, la multitude de produits, plus ou moins importants, dont l'acquisition et l'usage commandent l'activité humaine — voitures, radios, télévisions, ascenseurs, rasoirs électriques, etc. — n'ont pas de couleur politique et pourtant fonctionnent selon des principes étrangers à l'homme et, pour la plupart, incompréhensibles et incontrôlables bien que rationnels.

En fait, substituant à l'hypothèse sociologique de M. Goldmann une hypothèse culturelle, c'est précisément dans cette évolution technique du monde, et non dans un certain stade du capitalisme, que nous proposons de placer la source de l'autonomie de l'univers inanimé. Et c'est dans l'évolution parallèle de la vie quotidienne que nous sommes tentés de situer l'origine du sentiment d'altérité qui marque la réaction à l'égard de cet univers.

Dans cette perspective, assez proche de la thèse de Robbe-Grillet, l'histoire de la présence de l'homme au monde apparaît comme un passage de l'harmonie au divorce. Une nature souveraine et mystérieuse des premiers jours de l'humanité s'accordait à l'homme par le truchement des divinités qu'il y logeait et dont les attributs anthropomorphes permettaient d'établir des rapports rassurants entre le comportement humain et le divin. Puis la nature a perdu son mystère et, domaine connaissable, a été soumise par un homme sûr de ses forces et qui trouvait dans cette conquête de tous les jours une nouvelle relation harmonieuse. Mais la nature est en train de disparaître de l'expérience quotidienne en tant qu'objet de l'activité humaine; c'est, au contraire, quand il se délasse que l'homme garde encore quelques contacts avec elle. En revanche, les objets ont pris une part monstrueuse dans son existence active. Et à mesure que leur rôle grandissait, ils sont devenus de plus en plus étrangers. Outils et biens que l'homme fabriquait lui-même, instruments et possessions déjà plus compliqués mais encore compréhensibles et soumis à la volonté humaine, se sont diversifiés peu à peu en une multiplicité de noyaux de mystère dont on a appris l'usage mais que l'on ne peut plus contrôler. Pourtant, l'homme en dépend autant qu'il dépendait jadis de la nature: ils composent presque tout son décor et se manifestent par des contacts répétés où le moindre accrochage rappelle leur caractère irréductible à la compréhension humaine. De plus, l'homme ne peut pas diviniser ce mystère pour retrouver un rapport au moins spirituel.

119

Il connaît l'origine mécanique des objets et sait qu'ils fonctionnent selon des lois rationnelles et indifférentes à l'élément humain. Nul lien naturel ou imaginaire ne l'associe ainsi au monde, auquel il tend à étendre son expérience de l'altérité des choses.

Pour sommaire qu'elle soit, cette théorie permet d'expliquer la prévalence de trois attitudes devant le monde. La plus commune, sans doute, consiste à nier l'altérité. Refusant de se rendre à l'évidence de ses manifestations, l'homme attribue à une mauvaise volonté d'autres hommes sa réduction à une fiche d'état civil et maudit les bureaucrates; se plaint d'une malchance toute personnelle quand un objet résiste à ses projets; dans l'ensemble, il se voit encore en maître du monde et revendique comme son propre accomplissement les exploits les plus spectaculaires d'une technique à laquelle il ne comprend pourtant rien. C'est contre cette sorte d'humanisme emphatique, hérité du passé, que s'élève Robbe-Grillet. La deuxième attitude correspond à celle de ses personnages-automates qui succombent à la tentation de s'assimiler aux choses. Selon la thèse de M. Goldmann, il s'agirait là de la seule manière d'exprimer la réalité humaine dans un monde *réifié*. En fait, cette attitude cherche également à nier l'altérité mais par une démarche diamétralement opposée à la précédente: éliminant tout ce qui est proprement humain dans l'homme, elle le réduit à une condition de robot qui assure un rapport harmonieux avec l'univers automatique. Il se peut que le meilleur des mondes rétablisse de cette manière l'entente entre l'homme et son décor. Mais on n'en est pas encore là. Pour le moment, il reste une autre attitude: reconnaître honnêtement l'état d'altérité, s'installer dans l'exil, mais y cultiver soigneusement un humanisme limité à l'humain et protégé de diverses manières contre l'empiètement du monde.

C'est l'attitude de Robbe-Grillet. Elle explique le souci de rendre le caractère inhumain des choses et le souci égal d'exalter ce qu'il y a de plus profondément humain, les aspects neutres de l'écriture et la violence directe des obsessions, les structures de la fatalité et l'aspiration vers la liberté. Son univers imaginaire et ses personnages fictifs reflètent à cet égard la situation réelle de l'homme dans le monde actuel. L'entreprise romanesque dépasse par la même occasion la gratuité d'une œuvre littéraire pour acquérir la signification d'un témoignage et d'un produit de l'esprit du temps. Certes, elle demeure une création originale de Robbe-Grillet; le sens précis qu'elle propose ne se retrouve pas ailleurs; son contenu concret et sa forme sont affaire d'invention personnelle. Mais sa vision du monde participe à un certain mouvement distinct de la littérature contemporaine qui, sous des apparences de diversité, prend sa source dans une même réaction fondamentale à l'altérité de l'homme et de l'univers. Elle recevra l'adhésion instinctive de la part des lecteurs ayant fait, consciemment ou non, l'option de la même attitude.

imprimé en Suisse

NOTES

[1] Respectivement dans: Manuel RAINOIRD: « *Les Gommes* d'Alain Robbe-Grillet » (*NRF*, juin 1963). Roland BARTHES: « Littérature objective » (*Critique*, juillet-août 1954). Germaine BRÉE: « New Blinds of Old » (*Yale French Studies*, été 1959, n° 24). Bruce MORRISSETTE: *Les romans de Robbe-Grillet.* Paris, Les Editions de Minuit, 1963. Jean MIESCH: *Robbe-Grillet.* Paris, Classiques du XXᵉ siècle, 1965. Olga BERNAL: *Alain Robbe-Grillet: le roman de l'absence.* Paris, Gallimard, 1964.

[2] Bernard DORT: « Le temps des choses » (*Cahiers du Sud,* janvier 1954).

[3] BERNAL, *op. cit.,* p. 57.

[4] Bernard DORT: « Sur les romans de Robbe-Grillet » (*Les Temps Modernes,* juin 1957).

[5] Respectivement dans: MORRISSETTE, *op. cit.* Rosanne WEIL-MALHERBE: « *Le Voyeur* de Robbe-Grillet: un cas d'épilépsie du type psychomoteur » (*French Review,* février 1965). BERNAL, *op. cit.* Roland BARTHES: « Littérature littérale » (*Critique,* septembre-octobre 1955). Maurice BLANCHOT: *Le livre à venir.* Paris, Gallimard, 1959.

[6] Ben F. STOLZFUS: *Alain Robbe-Grillet and the New French Novel.* Urbana, Southern Illinois University Press, 1964.

[7] Didier ANZIEU: « Le discours de l'obsessionnel dans les romans de Robbe-Grillet » (*Les Temps Modernes,* octobre 1965).

[8] Bruno HAHN: « Plan du labyrinthe de Robbe-Grillet » (*Les Temps Modernes,* juillet 1960).

[9] Lucien GOLDMANN: « Nouveau roman et réalité » (*Revue de l'Institut de Sociologie,* Bruxelles 1963, n° 2).

SIGLES

ADM — L'Année dernière à Marienbad (1961)
DL — Dans le labyrinthe (1959)
G — Les Gommes (1953)
Im — L'Immortelle (1963)
In — Instantanés (1962) (Textes de 1954 à 1962)
J — La Jalousie (1957)
MR — La Maison de rendez-vous (1965)
PNR — Pour un nouveau roman (1963) (Textes de 1953 à 1963)
V — Le Voyeur (1955)

Tous les ouvrages de Robbe-Grillet ont paru aux
Editions de Minuit, à Paris.

SOMMAIRE

Achevé d'imprimer le 15 septembre 1966
par Kundig, Genève